科学哲学へのいざない

佐藤直樹

青土社

科学哲学へのいざない　目次

科学哲学へのいざない

まえがき

現代社会には、自然科学に基づく知識や技術が氾濫していて、私たちの生活が自然科学なしでは成り立たなくなっているように見える。それればかりか、社会科学、人文科学も、自然科学を模した科学の様相を呈してきている。そのとき、科学とは何か、科学的知識はどの程度正しいのか、最新科学技術は安全なのか、最新技術による医療には倫理的な問題はないのかなど、科学をめぐるさまざまな疑問がある。本書はこの問題について考えるヒントとして、科学哲学の教科書を題材として、科学にまつわる哲学的な問題を、科学者の立場から検討しようとする試みである。

科学哲学は、これまで主に文系の哲学者によって議論されてきた。理系の出身者も含まれるが、多くは物理学を学んだ後で、「自然科学＝物理学」という見方の延長線上で、自然科学の哲学的基礎を探求しようとしてきたように思う。私は学生の頃に科学史・科学哲学を志したものの、当時、破竹《はちく》の勢いで進歩しつつあった生物学・生命科学を学び、研究を続けてきた。実際、生物学は農業や医学を通じて社会とのつながりがきわめて深い分野であり、また、われわれ人間自身のことを考える基礎にもなる。生物学の進歩は必然的に社会における科学のあり方と私たちを向き合わせることになり、また、人間とは何かという、生命や心の神秘にも迫る問題をわれわれに突きつけることになった。その際、物理学を中心として構築されてきた科学哲学が、どの程度、生物学の哲学的考察にふさわしいのかが疑問に思われた。こうした観点から、これまで蓄積してきた科学史・科学哲学の知識を再構築し、生物学を哲学的に考える新たな基礎をつくりたいと考え、10年ほど前から研究を続けてきた。その一部は、すでにいくつかの論文・著書・翻訳書などとして公表しているが、東京大学大学院総合文化研究科を定年退職後の2019年度、慶應義塾大学で一般教養の科学哲学の講義を担当する機会を得、改めて体系的に科学哲学を考えなおし、また、科学そのものを考察するという作業を、多くの学生諸君とともに進めることができた。

講義では、生物学の哲学で著名なサミール・オカーシャ教授の『科学哲学』を教材とし、さらに私自身の考えで、さまざまな資料を配付し議論した。これらの資料はただ講義のためだけでなく、改めて、科学哲学、特に生物学の哲学を考察する資料になると考え、一冊の本としてまとめることとした。どの項目も、基本的には、最初にオカーシャの本に書かれていることを簡単に紹介し、その後で、私の見解をまとめるというスタイルになったが、後になるほど、私の考えの比率が高くなっている。単行本とする過程で、さらに大幅に加筆した。すでに理系を対象とした科学哲学の本も出版されているが、理系と言う言葉が物理学と同義になっているようにも思われる。人間をめぐる学問が発達した現代の科学を踏まえた理系人間から見た科学哲学というスタンスで話を進めていきたい。私としては、科学哲学がしっかりすれば、技術に関してはもちろん、科学の進め方にも影響を与えることができるのではないかという希望をもっている。本書のタイトル「科学哲学へのいざない」に含まれる「いざなう」という言葉は、古事記神話に出てくる「イザナキ」「イザナミ」という国生みの二柱の神の名にもなっていることに注意したい。私の期待としては、科学と科学哲学が互いにいざない合って、新たな文化をつくりだしていけるとよいと思う。その際の鍵は、科学というものを固定した完全な知識と考えないことだと思う。それには科学知識がどのように産み出されるのかをよく理解してもらうことが必要である。型《かた》にはまったこれまでの科学哲学から少し抜け出して、科学の姿を見つめ直すことができれば、科学哲学自体にも良い影響があるのではないかと思う。その上で、科学哲学が科学を変えることができるのか、私なりに哲学への期待を考えたい。

第1章

動的な科学の見方

1　科学とは

科学をめぐるさまざまな疑問を考えるのが本書の目的である。しかし、一言で「科学」と呼ぶときに、二つのものを区別するべきだろう。一つは、理論体系を追求する科学研究であり、もう一つは、ものづくりを目的とする技術開発である。奇妙なことに、物理学、化学、生理学・医学の三分野のノーベル賞は、この両方を対象として授与されるため、多くの人々には、科学と技術が不可分のもののように見えてしまう。

日本人の受賞で話題となった青色発光ダイオードやリチウムイオン電池は技術開発であり、オートファジーの発見は理論的科学である。マトリックス支援レーザー脱離イオン化法（ＭＡＬＤＩ）を使った質量分析法の開発や誘導多能性幹細胞（ｉＰＳ細胞）の開発はその両面を具えているように見える。奇しくも記者会見で吉野彰博士がマラソンのようだと述べておられたように、技術開発には明確な達成目標があり、開発費用や時間と商品から得られる利益のバランスを考慮して、年限を区切って実現し実用化する。そうでなければ、企業のプロジェクトとしては成り立たない。はっきりとした開発目標がある場合、さまざまな条件をしらみつぶしに検討する「条件闘争」になる。これに対し、オートファジーという現象は細胞が生きていく基本的なしくみであり、これまで明確に分かっていなかったことが、大隅良典博士の研究によって遺伝子レベルで明確に定義できるようになった。これは生命の基礎的な理解の問題であり、この知識を使った応用研究がさまざまに考えられるものの、真核細胞そのものの基本的な問題を解明したという点で、基礎科学と位置づけられる。MALDIによる高分子物質の質量分析の実用化自体は技術開発と考えられるが、その受賞理由は、それを使った生物の基礎的研究の推進にあった。iPS細胞の場合、同様の多能性細胞はヒト以外の動物ではずっと前から使われていて、植物細胞でも簡単にできることだったのだが、ヒトでできるようにしたことが重要だった。これは細胞分化の基本的なしくみに関わる部分と、実際にiPS細胞を治療に利用できるという面があり、基礎的にも応用的にも意味のある発見だった。通常、基礎と応用と言われることも多いが、基礎的な科学は、科学理論そのものの構築のために行われる点で、ものづくりのための技術開発とは全く性格を異にする。同じ科学という言葉で呼ぶのは適切でないとさえ思える。

では、最近流行の人工知能（ＡＩ）は科学だろうか技術だろうか。本当のことを言えば、人工知能という言葉があまりに幅広く使われていて、厳密な定義がない。しかし、多くの場合、大量のデータを学習して、それを何らかの形で内部パラメータとして保持したソフトウエアが、新たなデータを適切に仕分けたり処理したりできるものを、人工知能と呼ぶ。Google 翻訳や顔認証、適切に答えを返すロボットなど、あたかも人間を超えてしまいそうなものが生み出されている。しかし、これは科学か技術かというと、技術というのが正しい。それも科学はほとんど含まれていない技術である。もちろん、こうした技術を可能にするコンピュータのハードウエアを作る基本原理には科学知識がある。しかし、ニューラルネットワークなどの学習のしくみは情報理論という一種の応用数学で支えられており、現実のプログラミングは情報処理技術である。なによりも、最終的にうまくデータを学習できるようにする部分には工学的なノウハウが詰まっていて、今となってはGoogle などが開発したものをみんなで利用しているのが現実である。その意味では、ＡＩはまるごと技術といってもよいだろう。また、ＡＩを使って得られる知識も科学とは呼べない。内部的に何が起きているか分からないからだ。あとで説明する反証可能性もないので、意外に聞こえるかもしれないが、ＡＩは科学ではなく技術、あるいは、偽科学ということになる。多くの人々は偽科学というと、オカルトやいかさま商品を思い浮かべるだろうが、ＡＩが科学の顔をするなら、それは偽科学ということになる。技術の顔をするのなら、それでよしということである。

一般に科学と見なされている二種類のもの、理論的な科学とものづくりとしての技術開発は、その目的も進め方も成果の評価も全く異なる。医学・農学も実学という点で、科学技術に近い。それがなぜ同じ一つの言葉で表されるように見られているのか。それは、どちらも一般人の知識が及びにくい難解なものであり、一般人の常識が通じない不思議な学究肌の研究者の活動であるからであろう。吉野博士も、研究は柔軟性と粘り強さの両方が必要だと述べておられたが、これは両方のタイプの研究に当てはまることだろう。すでに述べたように、研究という概念も両者では全く異なるのだが、一般にはそのことはあまり知られていない。世間の享楽とはかけ離れた世界にこもって作業する、いわば錬金術師や修行僧のようなイメージが付随するために、基礎科学者も技術者も同じように見られるのではないだろうか。科学哲学が対象とする科学の姿もかなり曖昧で、ときとして技術的なもの、ときとして純粋理学的なものなど、さまざまなものが混在しているように思う。科学者自身はそうは思わないだろうが、一般人から見たときに、科学は次第に得体の知れないモンスターと化しているかもしれない。

2　科学哲学とは

科学哲学は、これら科学にまつわる諸問題を議論する学問である。科学の名の下に語られる事柄は果たしてどれだけ正しいのか、信じてもよいのか。科学でできることは何でも実際に行ってよいのか。科学の予測は本当に正しいのか、間違っていることはないのか。科学者が保証する食品や環境の安全性は本当に安全ということなのか。先進医療は本当に効果があるのか、安全なのか、倫理的に問題はないのか。地球環境はこのままで大丈夫なのか。遺伝子を自由に改変することはできるのか、またそれは安全なのか、神の領域を冒すことにならないのか。人工知能は万能なのか、人間を凌駕しうるのか。そもそも科学とは何なのか。科学がよってたつ根拠は何か。科学は万能なのだろうか。

科学と哲学は全く別物のように思う人も多いだろうが、もともと理論的な科学と哲学の垣根は低かった。今でも理学博士をPhD（Doctor of philosophy）と呼ぶのは、哲学という名の下にあらゆる知的活動がまとめられていた時代のなごりである。哲学から科学が分離したのは決して古い時代のことではなく、科学革命の時代を経てから徐々にである。その意味では、科学哲学は科学が自らを省《かえり》みる活動とも言える。

ところが、これまでの科学哲学で主に扱われたのは、物理学と化学の基本法則の確立過程だけで、生物学、医学、心理学関連の科学はほとんど対象となってきていない。ときに、技術的な開発も科学と同一視されて、科学哲学の考察のなかで利用されてきた。科学的知識が生み出されるしくみとして想定される論理は、数学に倣った演繹が基本とされ、それからはみ出たものはまとめて帰納と呼ばれてきた。生物学や人間にまつわる科学の分野の研究では、広い意味での帰納によって新たな知識が獲得されるが、そのしくみは一般的な科学哲学の研究対象となってこなかった。また、科学的説明の基本と思われている因果的説明についてもさまざまな議論がある他、物理・化学分野と、生物学・医学分野では異なる考え方が必要になると思われる。これまでの科学哲学が主に物理学系の知識や考え方を土台としたもので構築されてきたことにより、一般に学校教育で教えられるいわば古典的な数学や論理学が、科学哲学における科学的推論解析のツールとなってきたが、生物を対象とした科学研究の解析には、異なる観点も必要になってくる。

ここでは、サミール・オカーシャの入門書『科学哲学』*Philosophy of Science: A Very Short Introduction* を下敷きとして議論を進めていくことにする。オカーシャはこれまでの科学哲学者と異なり、生物学や心理学の哲学を主に研究してきた学者であるので、多くの科学哲学の書物とは記述のトーンが少し異なる。それでも、科学哲学の基本事項の説明では、旧来の物理学中心の科学哲学に沿ったことが書かれている。また、生物学的な内容についても、深く切り込んでいるわけではない。それは入門書という制約のためかもしれない。それでも、この種の書物としては異例の簡潔で易しい記述は、一般人向けの解説書として優れているだけでなく、生物学や心理学を網羅した科学哲学の構築に、恰好《かっこう》の出発点を提供してくれる。私としては、これを土台として、私なりのデータや視点を盛り込んでいきたい。科学哲学の役割は、科学の方法論や理論構築の特性を明らかにし、どのような方法論や理論構築ならば正当と見なせるか、どのようなものは疑似科学・偽科学とすべきなのかなど、科学を外側から審査することかもしれない。しかし、科学も人間の文化的営みである以上、科学を題材として、人間の知的活動や知的生産の意義や価値について議論することも、科学哲学に認められる仕事であろう。現在の科学哲学は、20世紀前半になされたような科学の正当性を擁護するものというよりも、どちらかと言えば、科学の暴走に歯止めをかける方に重点が置かれるべきものと思われる。人間の知的活動の正当性や限界について考えることも科学哲学あるいは哲学一般の課題である。

ここでは、オカーシャの本の章立てをやや拡張して、以下のテーマに分けて議論する。第1章、第6章、第10章が本書独自の章である。その他の章については、できるだけ章の名前は同じにしたが、中身は本書独自の議論をしていることをお断りしておく。なお、各章の中の項目も、オカーシャの本にあるものは、できるだけそのまま踏襲しながら私なりの意見を加え、さらに本書独自の項目も追加した。

第6章　科学的説明と推論の例
第7章　科学の変化と科学革命
第8章　科学におけるいくつかの哲学的問題
第9章　科学と価値、社会における科学のあり方
第10章　科学哲学の可能性

内容は、科学の論理構築に関わるもの、科学が対象とする実体の実在性に関わるもの、科学革命と呼ばれるものに関わるもの、その他、社会における科学の役割に関するさまざまな問題、などに分けられる。これらの裏には、科学の歴史に対する考察が隠されていることも忘れてはならない。

なお、科学哲学の別の入門書として、『理系人に役立つ科学哲学』（森田 2010）を参照してみた。ここにも、基本的には同様の項目が並んでいる。推論、非科学、反証、科学革命、実在、説明、原因、法則、確率、理論などである。その本に書かれていることが本当に理系の研究者の役に立つとは、私は思わないが、物理学出身の科学哲学者が現役の科学者に役立ててほしいと思っていることはこういうことなのかということが分かるという点で、興味深く参照させていただいた。この他に、森元良太氏と田中泉吏氏による『生物学の哲学入門』（2016）は、生物学に関連した哲学的話題を扱っている。こうして、いくつかの科学哲学の入門書を見比べな

がら、私が考えることを加えて本書をまとめようと考えた。テーマ的には科学哲学の主な内容を網羅したものとなっていると思う。科学哲学者が考えることを科学者がさらに検討するというようなものになるが、私の立場も、特に科学者サイドに立って、科学者を擁護するというものではないことを予め述べておきたい。

3　歴史や社会を考える科学哲学

私は科学史にも関心がある。特に、今の科学が成立する以前に、人々がどんなことを考えていたのかということは、文化の歴史として不思議でもあり、面白くもある。ここでは扱うことができないが、17世紀という同じ時代に、西洋では科学革命が起き、近代科学の礎《いしずえ》が築かれたとされるが、一方、日本では、江戸時代、太平の世に恵まれて、やはり学問は大きな発展を遂げた。このようなパラレルワールドが、歴史的に世界のあちこちに存在していたことは、人類の文明の多様性を理解する上でも面白い問題である。西洋の科学の歴史があたかも一本道の発展の歴史のように語られるのも、本当はおかしいと思うが、ここでは、主に西洋の学問の歴史を土台として、ものを考えることにする。古代ギリシアの学問、イスラム・アラビア科学、いわゆる12世紀ルネサンス、(メインの)ルネサンス、17世紀の古典物理学の誕生を中心とした科学革命、18世紀末の化学革命、20世紀初頭の相対論・量子論の誕生、20世紀後半の分子生物学革命、そして現代のIT革命など。こうした科学のあゆみに対応して、科学に対する見方も変化してきた。科学を考える科学哲学という学問の歴史は決して古いものとは言えないものの、昔から、学者自身が、科学に対する考察を行ってきたのも事実である。その意味では、科学史と科学哲学とは車の両輪のようにして、深い関係を保ちながら、それぞれに影響を及ぼしてきた。さらに、宗教が科学とどのように関わってきたのかという大きな問題もある。科学と宗教との関係が問題となる国が今でも多数存在することは、日本人にはあまり知られていない。

歴史だけでなく、社会との関係も、科学を考える上では忘れることができない。現代のさまざまな科学技術や医療が直面する問題は深刻である。台風・地震・気候変動など、以前ならば天災として諦めていたものにも科学、つまり人間の知恵が挑もうとしている。人間活動による地球環境の変化にも、科学的理解が及ぼうとしている。宇宙の成立原理や生命の起源にも、人間の理解が可能になりつつある。遺伝子治療、作物・家畜・養殖魚の遺伝子改変は現実のものとなっている。天然痘の撲滅を機に克服されたと思われた感染症の猛威が、近年、再び顕著になってきたことも深刻な問題である。科学でできることとそれに対する倫理的許容性、さらにその結果への責任など、いままで存在しなかった新たな倫理的問題も浮上している。これらは科学者の問題だけでなく、科学研究に投資する社会の問題、それを利用する一般人の問題でもある。それぞれの立場からどのように考えるのか、その基礎をなすのが、そもそも科学とは何か、科学的知識はどこまで正しいのかという基本的な問題である。いきなり社会的な問題を議論するのではなく、まず、原理的な課題を一つ一つ解明し、それによって、現実の課題に向かっていく準備をすることを、ここでは目指している。

哲学というと、多くの大学生は高校で学んだ「倫理」と似たものを想定するようである。高校で学ぶ倫理は、過去の学者の名前と学説を暗記するものだったようだが、哲学は本来、ものを考える学問である。過去の学説はその助けの一つに過ぎない。科学史となると、過去の科学的発見の年表のようなものを思い浮かべるかもしれない。科学史を背景とした科学哲学にはさまざまな知識も必要だが、何よりも大切なのは、自分で考えることである。一方で、哲学は答えのない問題についての禅問答《ぜんもんどう》のようなものと思っている人々も多い。しかし、哲学は目の前の人生に直接関わってくる問題でもある。何も考えずに「ボーッと生きている」人はいない。哲学は、テレビタレントのタモリが昔言っていた「明日から役立つむだ知識」という感じであろうか。昔の哲学者はネクラなイメージがあるかもしれないが、科学を考える哲学は思ったより堅苦しくないはずである。

4　動的な視点

私なりの科学哲学の考え方を説明するにあたって、ここでは、二つの動的な視点を提案する。これは科学者も、また科学哲学者や科学史研究家もあまり言わないことであるが、私はあえて強調しておきたい点である。

（i）科学を人間の知的活動として動的に捉える

拙著『創発の生命学』（佐藤 2018a）では、生命を動的な創発として理解することを説明し、その中で、創発は二つの相反する不均一性の対立から生まれること、不均一性の形として、生命世界では生物個体や生態系などが生まれてくるが、人間を含む生命世界では、さらに知識や創作などが知的活動から創発することを説明した。科学もまたそうした人間の知的活動から創発したものと考えると、これまでの科学に対する固定観念を変えることができる。科学は絶対に正しいものという科学に対する信仰のようなものも一方ではあり、他方、科学者の言うことは信じられないという懐疑的な考えもある。

そこで科学哲学の役割は、科学の動的な営みを解析し、その妥当性を検討することとなる。ところが、科学哲学はその時代ごとの科学のありように影響されてしまう。20世紀初期の相対論・量子論が花開いた時期には、どうしても物理学を中心として、人間の認識や世界のありようなどについての解釈が行われた。物理学で得られた知識を一般化するとどういう意味になるかというような立場から考察が行われ、物理学から切り離されたものではなかった。これは今でも続いている。生物学の哲学も1980年代から始まったが、なかなか分子生物学の最新の知識について行けていない。実際には、生物学を考える哲学はダーウィンの進化論をきっかけとしてスタートしていたが、これもまた、進化生物学と独立したものではなく、専門的な知識を一般的な知識に置き換える程度の役割しか果たさなかった。むしろこうした活動は有害なこともあり、間違った一般知識から拡張されたものが哲学の世界に蔓延する原因ともなった。私の立場は、現代の自然科学、特に生物に関わる科学的知識をしっかり把握した上で、現代の科学に対する考察を加えることである。その際、過去の科学の変遷の歴史をしっかりと踏まえた議論をするとともに、科学はこれからも変化していくものであるはずだという立場で、現在ある科学知識を固定的に考えないことが必要である。現在の科学知識を絶対化してしまえば、それは科学ではなく宗教になってしまう。科学がつねに変化していくことをどのように科学の理解に組み込んでいくかが、私の一つの観点である。

(ii) 科学哲学そのものも、科学を見直す活動として動的に捉える

私の話のキーワードは、あくまでも「動的」である。どんな知識も常に作り続けられているものと考えるべきで、確立し固定された知識は「死んだ知識」である。現代の科学では、どん

な知識も、開発途上にあるもので、常に更新していくものである。では、確実なことは言えないのかというと、そんなことはなく、現在正しいと考えられていることは、その枠組みの中で正しい。更新されるのは、理論の補強であったり、概念の拡張であったり、補正項の追加だったり、あるいは、別の概念との統一だったりである。

科学は真理を求める活動であるが、その真理は未来の彼方《かなた》にあると象徴的に考えることもできる。それに対して、宗教や迷信、民間信仰も、過去の長い間にわたって、人間の知識の一部を担ってきたが、その場合、真理は、過去の或る時点ですべて与えられている。その後の知的努力は、再解釈に費やされるのみである。こうした宗教的な知識のありようを現代の科学の立場から批判することはできるかもしれないが、十分な知識がない状況で何らかの指針を与えてきたという意味で、過去に宗教が果たした役割は大きい。科学哲学に与えられたもう一つの役割は、こうした宗教と科学との橋渡しをすることかもしれない。

日本人は比較的うまく、信仰と科学とを両立させてきている。日本に宗教がないと思っている人も多いが、体系化し、他の宗教と対峙する形になっていないだけで、いくらでも宗教的活動はある。初詣に始まる年中行事の大部分が宗教的活動とも言える。それでも八百万《やおよろず》の神を信じる日本人は、どんな知識が入ってきてもびくともしない。神仏習合もそうだが、何でもどれかの神様と同化してしまうことができる。科学も同じである。これとは事情が異なるが、ヨーロッパでも科学と信仰は比較的うまく調和が図られているようである。バチカンの社会的役割が大きいことが、むしろうまくいく鍵のようでもある。一神教は建前で、ハロウィーンでもクリスマスでも、土着の信仰をキリスト教に取り込んだことが成功している。

科学哲学は、従来のような「科学の二番煎じ」に甘んじてはいけないだろう。科学や人間の知的活動の長い歴史を俯瞰して、その中から、現代の科学のありようについて批判的に語ることができるようになることが求められる。科学哲学自体も人間の知的活動である以上、常に更新され続けるべきものである。ニーチェの『ツァラトゥストラ』(Nietzsche 1883) では、「人間というものは常に乗り越えられるべきもの」と表現されている。私の弁証法的表現で言えば、科学という一つの活動とそれを批判する社会の活動の対立の中から、新たな人間の知的活動が生まれる、その媒介の役割を果たすのが科学哲学だとよいと思う。科学哲学自体も動的なものと考えるのが私の立場である。

第2章以降では、オカーシャの教科書を参照しながら、科学のありよう、そして、科学哲学のありようについて、考えていくことにする。

第2章 近代科学の確立と科学の特徴

1 近代科学の確立
2 歴史的に見た科学の成り立ち
3 科学とは何か、科学哲学の目的は何か
4 科学と偽科学の区別
5 科学の歩み

1　近代科学の確立

オカーシャの『科学哲学』の特色は、科学史を多く取り入れていることである。近代科学の起源を最初に説明しているが、これはほぼ天文学、物理学における大きな変化であり、科学革命（大文字で書かれるScientific Revolution：ほぼ1500～1750年に相当する）と名付けられるものに対応している。これはアリストテレス主義からの脱却と位置づけられている。このように述べるとあたかもアリストテレスが駄目だったかのように聞こえるが、それは正しくない。アリストテレスは古代ギリシアの哲学者で、リュケイオンという学校で教育と研究を行った。これがフランス語で「高校」を表す「リセ」の語源となっている。広範な学問を論理的に組み立てたアリストテレスの功績はきわめて大きい。そもそも、古代ギリシア文明はイスラム世界で継承発展された上で、ルネサンスによってヨーロッパに持ち込まれたのであるから、近代ヨーロッパ文明が古代ギリシアの文明の直接の継承者ではない以上、アリストテレスを批判することによって近代科学が誕生するというシナリオは正当とは言えないように思う。まず、科学革命における主な登場人物の業績としてオカーシャの教科書に挙げられていたのは以下のような人々である。必要に応じて説明を補いながら見ていこう。

ニコラウス・コペルニクス（1473〜1543、ポーランド）

『天体の回転について』（Copernicus 1543）において、天動説（地球中心主義 geocentrism）から地動説（太陽中心主義 heliocentrism）への転換を提唱した。コペルニクスの論文は中世ラテン語で書かれ、当時の法王パウロ3世に献上された。献上文に書かれていることによれば、コペルニクスは、昔のギリシア哲学者が唱えた地動説をローマ時代にプルタルコスが記述したものを取り上げ、天体観測の結果を正確に再現できる幾何学モデルとして提示した。これは観察を説明できるだけでなく、数学的に正しいことを、幾何学の定理の証明をいくつも記載するなどして、詳しく記述している。数学の分からない他の学者の誤りを嘲笑しているのも印象的である。その意味では、数学を使うことがコペルニクス革命の神髄《しんずい》なのかもしれない。また、円の上の弦の長さと中心角との関係を計算した膨大な表（翻訳には含まれていない）をつくっており、天体の位置関係を計算するのに有用な理論を構築していた。第1巻で宇宙の全体像を提示し、その後の五つの巻では、具体的なそれぞれの天体の運動がこの仮説で合理的に説明できることを記述している。それでも第1巻10節で太陽系のモデルを提示した上で、「偉大な創造者の荘厳な作品はかくの如く完全である」*Tanta nimirum est divina haec Optimi Maximi fabrica.*（疑いもなく、偉大な神の創造物はこのようにすばらしい）と述べて、太陽系の秩序のすばらしさを神の創造のおかげだと讃えている。この表現はおそらく定型的なものではあろうが、コペルニクス自身、地動説によって宗教を否定するつもりがないことを明言していた。なお、コペルニクスの『天体の回転について』は、「誰も読まなかった」本として知られるそうだが、実際には多くの人に読まれたということである（Gingerich 2004)。

ヨハネス・ケプラー（1571～1630、ドイツ）

天体の運動に関して、有名なケプラーの三法則（楕円軌道の法則、面積速度一定の法則、調和の法則：公転周期の2乗が軌道長半径の3乗に比例）を提唱した。天界における現象について、数学的に表せる法則を考え出したことは画期的なことだったはずである。

ガリレオ・ガリレイ（1564～1642、イタリア）

望遠鏡による観察結果に基づく天文学上の発見も多いが、力学の基礎をつくったことが重要である（物体は重さによらず一定の速度で落下すること。等加速度運動に基づく自由落下の法則）。ガリレイの著作はいくつか翻訳されているが、『天文対話』（1959）や『世界の名著』の『ガリレオ』（豊田訳 1973）などが参考になる。また、数学を現実の問題に応用したことをオカーシャは指摘しているが、コペルニクスでも指摘したように、このあたりは、ルネサンスの歴史の中ですでに始まっていたはずだと思われる。

ルネ・デカルト（１５９６〜１６５０、フランス）

微小粒子の運動によって世界の説明をする力学的哲学を考えた。デカルト物理学に影響を受けた学者は多く、ホイヘンス、ガッサンディ、フック、ボイルなどがいた。『哲学原理』（Descartes 1644）の後半や、死後に刊行された『世界論』（1664）で機械論的な世界観を詳しく述べた他、同じく死後に『世界論』から分離して刊行された『人間および胎児形成』（1664）では、感覚器官や筋肉などの働きを機械論的に説明していた。ただし、生物学における業績は百害あって一利なしというのが、科学史学者ミシェル・モランジュ（Morange 2016）の見解である。私も同感である。

アイザック・ニュートン（１６４３〜１７２７、イギリス）

『自然哲学の数学的原理』（通称、プリンキピア。Newton 1687）を１６８７年に刊行し、有名なニュートンの三法則（慣性の法則、力と加速度の比例関係、作用・反作用の法則）を提唱した。質量を重量と区別した。また万有引力の法則を示した。ケプラーやガリレオの法則はこれらによりすべて説明され、ニュートン力学と呼ばれるものに包含されることとなった。

しかし、このような科学革命は近代科学の歴史の出発点に過ぎない。その後の200年間の化学、光学、熱力学、電磁気学の発展は、ニュートン力学の延長上にあり、それを確認するものであったとオカーシャは書いている。これはかなり粗雑な書き方で、これらの各分野はそれぞれに独自の体系を築いていて、力学とは異なる学問というべきである。たとえば、ニュートンの力学の法則から電磁気の法則が導かれるわけではない。しかし、後の20世紀の物理学革命の担い手達からは、すべてまとめて旧来の科学とみなされ、その見方を科学史家・科学哲学者たちも引き継いでいた。

さらに引き続いて、19世紀後半から20世紀には大きな出来事が連続して起きたが、これについては私なりの見解を追加しておこう。なお、ここでは仮に「革命」という言葉を使っておくが、科学革命については第7章で考察する。

20世紀初めの物理学の革命

相対論と量子力学が誕生し、それまでのニュートン力学の枠組みが否定された。さまざまな科学哲学者が議論しているので、ここではあえて詳しく述べることはしない。科学哲学で多くの議論の対象となってきているものの、私は、果たして相対論や量子論が哲学の問題と言えるのか疑問に感じている。単に物理学の問題なのではないかと思う。

生物学の革命

チャールズ・ダーウィン（1809〜1882、イギリス）が『種の起原』（Darwin 1859）を発表し、自然選択に基づく生物進化を提唱した。これは主に系統分類に関わる問題だけで、生物学の主流における主要な出来事は、19世紀前半の細胞説、20世紀初頭の遺伝学の誕生や生化学の発展である。また、進化生物学も20世紀の遺伝学の発展を受けて、進化の総合説として定式化され、さらに、分子生物学の発展以後は、塩基配列・アミノ酸配列レベルでの分子進化の研究へと移り変わる。木村資生の中立説や大野乾の遺伝子重複説が出てくると、当初は大論争となったが、現在では、すべてを取り込んだ形で、分子レベルの自然選択説になっている。後で述べるように、「ダーウィンの進化論」と「進化の総合説」は、現在の進化生物学とは全く別物と言ってもよいのではないかと思われる。その意味では果たしてダーウィン革命という言葉が適切なのかと疑問を感じる。

生物学・医学の革命

ルイ・パスツール（1822〜1895、フランス）とその研究グループによる生理活性をもつ微生物や病原菌の発見と、ロベルト・コッホ（1843〜1910、ドイツ）の研究グループによる数多くの病原菌の発見をさす。発酵や病原性などの原因として、目に見えない微生物が次々と発見され、発酵工業の効率化、ワクチンや公衆衛生の普及などが進んだ。科学と技術が密接に関わる生物学・医学・農学の融合した領域の研究であり、実生活への影響という点では、ダーウィン革命とは比較にならない重要な変革である。

分子生物学革命

1953年、ワトソンとクリックによるDNA二重らせんモデルの提唱（Watson & Crick 1953）と、1961年、ジャコブとモノーによるオペロン説の提唱（Jacob & Monod 1961）を皮切りとして、生物現象の遺伝子による理解が始まった。2003年にはヒトゲノム解読完了宣言が出され、それ以降、ポストゲノム時代となり、ゲノム情報に基づく生命現象の理解が飛躍的に進んでいる。

その他の新しい学問として、オカーシャは、計算機科学、人工知能、神経科学、認知科学、また経済学、人類学、社会学などの社会科学も付け加えているが、私から見ると、なんといっても、コンピュータの進歩に支えられた情報科学を挙げるべきだと思う。人工知能は情報科学を応用した技術的な問題である。また、神経科学、認知科学、あるいは脳科学、人類学などは、ポストゲノム科学の一部として位置づけるのが妥当であろう。心の哲学・意識の自然化などは第8章で扱う。

2 歴史的に見た科学の成り立ち

歴史を振り返りながら、もう少し、私なりに科学の成り立ちを説明してみよう。現代のわれわれが科学と思っているものには、理論的な科学とものづくりのための技術が含まれていることは最初にも述べた。では、昔はどうだったのだろうか。また、宗教や倫理などとはどんな関係にあったのだろうか。

古代ギリシアでは、アリストテレスの時代の学問はすべてが一体となっており、今の自然科学に相当する内容は、自然哲学とでも呼ぶべき学問分野を形成していた。といっても、その当時に自然哲学という分野があったわけではなく、あとからそのように分類しているだけである。

昔は、自然に関する考察が人間の生き方や国家のあり方に関わる哲学や倫理学、政治学などと渾然一体となっていた。それでも、中世のアラビアでは、数学や化学、医学や農学を中心とした自然科学が栄えていた。今のイスラム世界が自然科学から取り残されているかのように見えるのと似た状況が、中世ヨーロッパであった。当時、ヨーロッパは文化的にも遅れた後進国であり、エジプトやアラビアが科学の中心地であった。アルコール、アルカリといった物質の名称はアラビア語であるし、算用数字もアラビア数字である。もちろん、東洋では中国などで特に技術と関連した科学が進歩していた。紙、火薬やロケット、羅針盤などが中国の発明であることは言うまでもない。「ゼロ」はインドで発明されたとされる。ニュートンの微分積分学と同じ時代、日本では、関孝和（生年不詳～１７０８）などの活躍により、代数学や積分学などの和算が発展した。科学も江戸時代には発展したが、日本の科学については、蘭学の影響もあるものの、西洋科学とは別の流れとして、別の考察が必要である。

ここでは話を西洋の自然科学に限ると、ガリレイやニュートンによる科学革命までは、自然科学はその他の今では文系と思われるような学問と一体となっており、哲学がその基礎となっていた。自然哲学の基本的な特徴は、理論が重視され、実験や観察を軽視したことである。実際に手を動かして実験や観察をするのは卑しいことと見なされ、理論を扱う学者のやることではなかったのである。もちろん一部の医学者は解剖などにより、実際に生物の観察・実験を行ったようである。17世紀は、実験や観察といった「経験」を学問に取り込むことが積極的に

図１　自然科学の誕生と哲学との関係

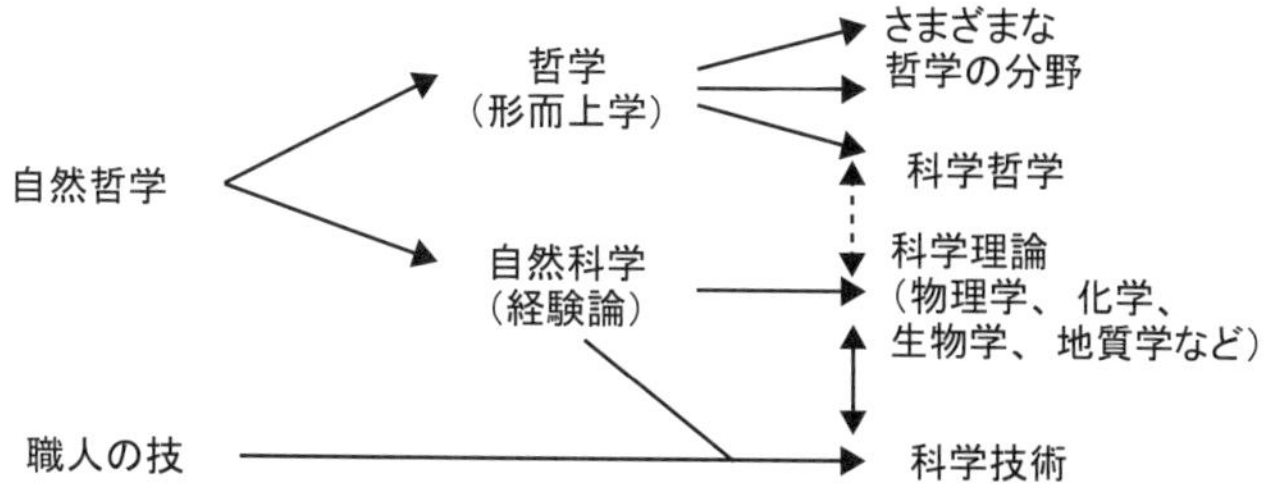

17 世紀頃からの科学と哲学の歩みを概念的に示している。時間は左から右に進んでいる。科学理論と科学技術との関係はかなり密接であるが、科学哲学と科学理論との関係は必ずしも強くない。また、私が想像する限り、哲学の諸分野間の関係もあまり緊密なものとは言えず、それぞれに分かれて研究しているようである。

推進された。後に述べるヒュームの問題もこうした経験主義の台頭によって、初めて問題化したのである。今では考えられないことだが、経験から理論を組み立てることは、それまでまともな学者のやることではなかったのである。同時に、これは、科学技術の誕生を可能にした。つまり、現実の生活と結びついた科学知識の利用ができるようになった（図1）。一方で、文系的な哲学は自然科学とは分離して、独自の学問としての発展をすることになる。今日のわれわれが思弁的な学問と見なしている哲学の誕生である。デカルトまでは自然科学と思弁がまだ共存しており、デカルトはデカルト座標など近代的な自然科学の祖としても、また近代的な自我を確立した哲学の祖としても、後世に多大な影響を与えることとなった。

こうして見ると、今では全く対立するように見える科学と哲学の関係や、曖昧になってしまった科学と技術との関係も整理される。今の時代、科学技術が人間生活のあらゆる面に入り込んできているが、そこで再び、哲学が何を語ることができるのだろうか。科学研究や科学技術に「価値」を持ち込むことができるのは、哲学なのではないだろうか。

3　科学とは何か、科学哲学の目的は何か

オカーシャによれば、「科学とは何か」と言ったとき、科学の諸分野のリストや共通点ではなく、「科学を科学たらしめているものは何か」ということが問題である。われわれが住む世界を理解し、説明し、予測することだけが科学というわけではないと彼は言う。科学独自の特徴として、オカーシャは方法論と理論構築を挙げていて、これは科学革命を通じて獲得されたものとされる。オカーシャによれば、科学哲学の主要な仕事は科学において用いられる探求の方法論の解析である。それによって、科学に潜む暗黙の仮定のようなものを明らかにして、科学者が当然と思っている前提を疑うことができる。つまり、科学そのものを疑うことによって、科学が生み出す知識が信ずるに足るものかを知り、科学知識を利用する際に注意すべきことが分かるはずだということになる。

これは一般論としては正しいようにも見えるが、前にも述べたように、科学と呼ばれている

ものには二つの異なるものがある。また、物理系の科学と生物系の科学も、方法論や理論の位置づけにおいて大きく異なる。旧来の科学哲学はみな物理系の科学、それも中学レベルの誰にでも分かる現象を例にとって説明してきた。現代の生物学の方法論や理論形成は、例として使いにくいかもしれないが、われわれの生活に密着した問題であり、これはこれとしてきちんと扱う必要がある。さらに、科学はきわめて動的な人間の知的活動だという観点も重要である。目の前にある科学的知識だけを対象としてその真偽や適否を議論するのではなく、その知識が得られるにいたった経過や、今後どのようにしてより信頼度の高い知識に高めていくのかという方策などの全体を見て、その知識を受け入れるのか拒絶するのかを考えるべきだろう。科学知識を利用した技術についても同様のことが考えられる。

4　科学と偽科学の区別

偽科学（または疑似科学 pseudoscience）というレッテルは、科学とは何かを考える裏返しとして、科学哲学でよく話題にされる。日本語では、伊勢田（2003）が詳しく説明している。そこでは、創造科学、占星術、超心理学、代替医療などを扱っている。オカーシャの紹介によると、カール・ポパー（1902〜1994、オーストリア出身、イギリスで活躍）は、1934

年（1959年に改訂英語版。Popper 1959）に『研究の論理』を発表し、反証可能 falsifiable なものが優れた仮説であり、正当な科学はこうした仮説で構成されるべきだと考えた。ちなみに、この難しい言葉は、間違いを表す false からできた動詞 falsify に由来する。つまり、間違いであることを示すことが可能という意味である。ポパーの考えでは、科学理論・仮説は間違いを含むかもしれないが、実験によりそれを確認できることが、優れた仮説の証しだというのである。原理的には、仮説を実験により検証し、反証されれば、より適切な仮説を考え、実証されれば、その仮説の正しさが裏付けられたということになる。

このよい例として挙げられたのは、アインシュタインの一般相対性理論である（『相対論の意味』参照）。この理論はきわめて難解なため、当初、信じる科学者は少なかった。この理論では光も強い重力を受けると曲がることが予測されたが、日食のときに太陽の輪郭すれすれに見える星の位置がずれて観測されたことで、一般相対性理論が実証されたと考えられた。これに対して、反証可能でない理論の例は、フロイトの精神分析やマルクスの経済発展理論などで、これらの場合、反例が出てきてもどのようにでも説明できてしまうので、これらの理論は反証可能なものではないとポパーはみなし、科学ではないとした。しかし多くの科学者は、おかしな実験結果や観察結果を、既存の理論の枠内で何とか解釈しようと努力しているのも事実である。たとえば、天王星の軌道が、予測されるものとわずかにずれることを説明するために、別の惑星を仮定して説明しようとした天文学者たちの試みは、1846年の海王星の発見につながった。そこでオカーシャは問いかける。科学と呼ぶものすべてに共通にあり、しかも科学だけにある特徴は何か。これは本書全体で考察するテーマであるので、今すぐに答えを出すことはできない。ここでは、もう少し、偽科学と科学の区別について考えておこう。

ポパーの反証可能性に関する私の見解はこうである。ポパーの議論は、結局のところ、仮説が誤りであることを述べるときには正しいが、仮説が正しいことを述べるのには不十分に思われる。そもそも、科学では、仮説は絶対的に誤りだったり正しかったりするわけではなく、さまざまな検証を経ながら、少しずつ改良していくものである。ポパーは理論的な科学のことを主に考えていて、実験科学者の営みを理解していなかったのではないだろうか。もう少し例を挙げて検討してみよう。

仮説が検証できなければ元の理論が誤りだとすると、天気予報などはどうなるのか。翌日の予報が当たらないと、気象学の理論が誤りだというのだろうか。人々が天気予報に信頼を寄せる理由は、むしろ、多数の気象観測データをもとにして、丹念に計算をし、また、過去の経験も加味して、予報を生み出す営みにあるのではないだろうか。確かにいつも当たるわけではないが、誰にでもできるわけではない技術や知識をもって、真摯《しんし》に仕事に取り組む姿勢も大切である。また、最近の気象情報では、予想が外れたときに謝ることもあるようである。昔は当たるも八卦当たらぬも八卦で、当たらなくても予報を出す人に責任はないということだっただろうが、最近は、当たらないなら当たらないなりに、その理由が説明できるようになったということなのだろう。このあたりに科学と偽科学の違いが見えてくるようにも思われる。一般に偽科学はいかがわしい。うまいことを言って、何でもわかる顔をしている。そんなイメージもある。

逆に、オカルトの悪魔払いのようなものでも、結構当たることがある。新しく住んだ家に魔物や悪霊がとりついているとして、そのお祓《はら》いをすることで平穏な日々が戻るということは、少なくともテレビ番組などではよく見られる。その場合、オカルトの「理論」は正しいのだろうか。新興宗教でよくあるのが、教祖が頭をなでると、不治の病が治るというたぐいである。伝えられるキリストの奇跡にもある。こうしたものは、その宗教の教義の正しさを証明するのだろうか。不治の病に悩む人は「わらをもすがる」思いで、さまざまな宗教に頼るのだが、たいていは駄目だろう。それでも、心の安らぎは得られるかもしれない。また、稀には病気が自然治癒することもある。その場合には、その宗教のおかげだと実感することになる。いずれにしても、その宗教に対して悪い感情はもたない。こんなしくみで、神秘的な宗教が広まっていくことになる。しかし、それは宗教の教義の正当性を何も証明していないはずである。もっとも、それで患者が満足なら宗教の役割は果たせているとも言える。

さらに第1章のはじめに挙げた人工知能（ＡＩ）も、基本的には技術であり、それを使うことが科学ではない。また、ＡＩを用いて得られた知識は科学知識とは言えない。内部で何が起きているのか、誰も分からないからである。反証もできない。最近では、ビッグデータとかデータサイエンスなどという言葉が氾濫しているが、データを大量に処理しても、やっていることは統計解析か、あるいは、ニューラルネットワーク（NN）や遺伝的アルゴリズム（GA）などの機械学習である。最近では、4層以上のNNをディープラーニング（深層学習）と呼んでいる（斎藤 2016 など）。このNNの名前は、大脳の神経ネットワークが多層構造をしていることを模してネットワーク構造の形で計算をすることに由来するが、脳の計算処理を本当にまねしているということではない。統計解析は原理や限界が明確なので、それによって得られた結果も合理的なもので、科学の範疇に入るだろう。しかし、ディープラーニングは、人間にわからないものを大量データの中から見つけ出すという技術であるので、顔の認識や障害物の検知などに有効であるものの、本質的に合理的なものではない。実際に使ってみて、使えれば良し、使えなければ改良の余地があるということである。話題性のある言葉なので、統計解析もAIに含めている場合もあるだろうが、一般的なAIはディープラーニングなので、ここで言う科学の範疇には入らない。その場合、AIを使って得られた知識で大きな問題が起きても、それは科学の問題とは言えない。あくまでも技術の使い方の問題ということになる。AIを使っているから科学的と標榜する人がいれば、それこそ偽科学である。

　私が関係する研究分野にバイオインフォマティクスがある。これは生物の情報、特にDNAの塩基配列やタンパク質のアミノ酸配列を精査して、そこから知識を得ることを目的としたものので、半ば科学、半ば技術という面がある。一番良く利用されるソフトウエアにBLASTがある。これは類似のタンパク質やＤＮＡを素早く見つける優れたソフトウエアであるが、その原理は明確に理論化されており、確率論の応用問題として理解できる（分厚い本も存在する：Korf et al. 2003）。もちろん、計算技術的な工夫も含まれるが、それでも、そこで行われていることはすべて合理的に理解可能である。したがってＢＬＡＳＴの利用で得られる結果も、明確に科学的結果ということができる。それに対して、或るタンパク質が細胞質で合成されたあとに、細胞内の細胞小器官に輸送されることを推定するソフトウエアがある。細胞小器官としては、ミトコンドリア、葉緑体（植物の場合）、小胞体などがあり、そのどこに輸送されるのかをうまく言い当てることができる。よく使われるソフトウエアにもいくつかあるが、どれもＮＮの手法を用いており、予め、実験によって確実に輸送先が分かっているタンパク質のアミノ酸配列を読み込ませて学習させてある。実際にどのようなＮＮの構造を使うかなどのノウハウがあるものの、基本的には、開発者も、実際のアミノ酸配列を見て、その輸送先を当てることはできない。ＮＮの内部に何らかの形で情報が取り込まれているのだが、その判断基準を知ることはできない。そのため、自分が研究しているタンパク質について、こうしたソフトウエアによって細胞内局在を推定できたとしても、それは単なる付加的情報であり、現実の局在は、別の方法、たとえば、蛍光タンパク質を融合させたタンパク質の局在を蛍光顕微鏡で観察するなどによって確定させる必要がある。こうした場合、ＮＮは確かに便利で、実験結果を補う意味もあるだろうが、ＮＮの利用結果そのものは科学的知識ということはできない。あくまでも、便利なツールによる推定結果である。それぞれのソフトウエアがもたらす情報の意味が分からない学生・研究者も多く、NNの結果を絶対的なものと見なすこともある。その場合、これは偽科学となる。もっとも偽科学にもさまざまなものがあると言うべきかもしれない。オカルトなどの典型的な偽科学の他に、今述べたような、科学知識をその前提条件などを無視して絶対化してしまうものがある。これも、使い方によっては危険なのだが、一般には悪意もなく、役に立つことも多いものである。

5　科学の歩み

前章でも説明したように、科学は未来に真理という努力目標を置いていると考えられ、今現在の科学の知識はあくまでも通過点、日々努力をして改善していくものである。その意味では改善可能性 revisability が科学を特徴付けるものかもしれない。考えようによっては反証可能性もこのことを言っていたのかもしれない。どんな科学論文も、それだけでは終わりでない。必ず最後に、これからの課題を挙げている。つまり、まだやり残したことがあるというのが普通の科学者の立場である。最近、記者会見で自身の研究成果を宣伝する研究者の姿を見かけるが、こうした場合、話がそもそも難しいので、特別な科学的素養や訓練を受けていない記者に研究内容を説明するだけで手一杯になってしまう。たいてい、*Nature* や *Science* などの一流誌に論文が掲載されたことを自慢する会であるわけだが、これは一方では、その研究に必要とされた研究費の拠出元に対する成果の主張でもある。そうした場合、この研究はこれまで分からなかったことを明らかにした画期的なもので、そこで完結したものであるかのように語られる。もとの論文を読めばわかることだが、論文には、実験結果のあと、Discussion と呼ばれる項目がある。これは日本語では「考察」と言われることが多いが、理科教育で教えられる考察という概念よりも幅広く、過去の研究との関連、論文で証明されたとされる仮説の信頼度、対立する仮説の論駁、自身の説を支持する他の研究成果、これからさらにやらなければならない研究などについて、多面的に議論される。日本人の研究論文では、自身の研究内容に対する考察、つまり反省のようなものが多いが、海外の研究者の論文では、非常に多面的に議論が展開される。この部分は、実験によって「わかった」とされた内容をさらに補足していく「尾ひれ」のようなもので、直接証明されていないにしても、こう考えるのが妥当だということをさんざん主張するのである。こうした尾ひれの部分や、将来やらなければならない研究なども含めて一つの論文なのである。それを曖昧にして、一つの研究がまとまったかのように行われるセレモニーと化した記者会見は、一般人に科学の本来の姿を隠蔽し、固定した科学知識のイメージを植え付ける元凶と言ってもよいだろう。科学はつねに継続的に研究がなされて初めて科学なのである。つねに進歩を続けると断言することはできないかもしれない。しかし、永遠に未来を見据えた営みであることは間違いない。

これに対して、宗教やオカルト的な偽科学は、過去に真理があると考えられる。教祖なり提唱者なりがすでに確立したと称する真理が先にあって、それに基づいてあらゆることを説明しようとする。科学を絶対真理と思ってしまうと、偽科学との間の区別をするのは難しくなることもあるかもしれない。しかし、科学を未来に向けた真理追求の運動と捉えれば、今ある科学知識の欠陥をあげつらって宗教やオカルトを擁護する行為が無意味なものになると思う。こうした動的な見方を主張する科学哲学者は見かけない。科学哲学では、どちらかと言えば、科学の論理は固定的で、決まったデータに対して、確実な論理を当てはめて絶対的真理を得るというように見える。是非こうした殻《から》をやぶって、柔軟な思考をしてもらいたいと思う。

第3章

科学的推論

1 科学における推論の意義
2 論理学における推論規則
3 科学的推論の種類
4 帰納に対するヒュームの疑いを疑う
5 帰納の問題をどう克服するか
6 現実の科学の場面で帰納の問題を考える
7 最善の説明を導く推論
8 過去もわからない
9 因果的推論
10 確率と科学的推論：条件付き確率による解釈
11 全く別のタイプの科学的推論
12 科学で使われる推論

オカーシャの『科学哲学』第2章は科学的推論を扱っている。特に後半には、原著第2版で新たに加えられた内容もある。ここではそれも含めて考える。

1　科学における推論の意義

一般に科学哲学の教科書類では、推論が科学において果たす役割を明確化しないまま、科学が推論でできているかのように、推論の説明が始まるが、ここでは、まず、科学における理解の仕方を考えることからはじめてみよう。科学知識は一般的な原理・定理・法則だけからなるわけではない。多くの個別の実体の構造や性質に関する記述もある。さらに、それら実体の間の関係に関する記述もある。物理学のような現象の定式化を中心とした学問と、生物学や地質学のように現実に存在する事物・生物の構造と機能の記述の学問とでは、学問の進め方が多少異なるかもしれない。その違いは、同じように生物を扱う学問である生物物理学と分子生物学で顕著に表れる。それでも、理論的な物理学が一般化・法則化に力点を置くことは確かであろうが、現実の事物に応用する分野も重要であり、その場合には生物学と類似の性格を示すことになる。私自身は生物学の側から科学を見るという立場で、科学の理論形成を考えてみたい。現実に科学予算の半分以上を使って研究が行われている生物・医学分野の重要性は、科学哲学の理論構築にも深く関わってくるはずなのだが、これまでは物理学を背景とする科学哲学の主流からは、生物学は重視されてこなかった。

推論は次の章で扱う「説明」とも深い関係がある。説明をするときの一つの要素が推論である。推論は異なる命題の間を結びつけるものである。数学なら、推論だけですべてが進められるが、経験科学と呼ばれる自然科学では、何らかの形で実験・観察のデータが組み込まれなければならない。その場合、具体的な個物が登場する。個物に関する何らかの記述を、その個物か別の個物に関する何らかの記述と結びつけるときに、一般的な法則を使った推論が必要になる。あるいは多数の個物に関するさまざまな記述の中から一般的な法則を導き出すこともあるだろう。それが直感的にすぐに分かるような法則である場合もあるだろうし、かなり想像力を働かせないと出てこないような法則の場合もあるだろう。観察データで記述された個物そのものではなく、その中にあるはずのものを前提として、法則を適用する場合もあるだろう。その場合、何が事実で何が仮定であるのか、何が既知で何が未知なのかを明確にする必要も出てくる。そうした科学の営みの中で、推論は必ずどこかで利用されている。

2　論理学における推論規則

ひとまず、科学を離れて、古典的論理学における推論規則についておさらいしておこう。現在では、記号論理学やさらに複雑なものもあるが、ここでは、野矢茂樹氏による教科書『論理学』(1997)を参考に、古典的な「ふつうの」論理学における命題論理と述語論理をまとめる。ふつうの論理学には時間の要素が入らないし、物事の前後関係も考慮されないので、因果関係も表さない。論理学で正しいことは「トートロジー」(同語反復)でしかなく、経験的に証明されるものではないと、ヴィトゲンシュタインを引用しながら、この教科書(p.38)でも明言している。その意味では、経験科学と論理学は何の関係もないとさえ言える。

論理学では、P、Qを命題(「これこれのものはこういう性質をもつ」などの文章)として、「含意」(論理包含 implication)と呼ばれる論理式「$P \supset Q$」を定義する。これは「PならばQ」と読むものの、その内容は「Pが偽またはQが真」と定義し、「$\neg P \vee Q$」の略記とする。ここで「$\neg$」は否定 negation の論理記号、「$\vee$」は選言 disjunction の論理記号である。日常語としては「PならばQ」では、前提条件と帰結という順序関係があるように思うが、論理式では時間や順序はなく、全体が一度に与えられるため、上のような奇妙な内容になる。もしもこれが因果関係であれば、ものごとに順序があるわけなので、このあたりに科学の論理を考えるときの問題が潜んでいる。また、「$\supset$」は集合の記号とも似ているが、関係づけて考えると誤解する。つまり、「$P \supset Q$」はPとQの真偽により真または偽の値をとるだけの単なる状況判断の論理式（一つの値）であり、「PならばQである」という条件判断を表すものではない。この他「$\wedge$」は連言 conjunction の論理記号で、ふつうに考えると「$P \wedge Q$」は「PでありかつQである」という意味だが、論理学ではPとQがともに真のときにだけ真となる論理式（一つの値）を表している。しかも、論理学の体系では必ずしもこの記号を使う必要はないとして、「$\neg(\neg P \vee \neg Q)$」の略記（ド・モルガンの法則）と定義されている。

一般的な推論に対応する論理式が前件肯定（*modus ponens*）で、「$((P \supset Q) \wedge P) \supset Q$」と表す。ちなみにこれは、$P$、$Q$が真でも偽でも真となる「トートロジー」であり、正しい論理を表す。繰り返すが、この論理式が表すのは単なる一つの値で、それも、P、Qの真偽にかかわらず、つねに真だけなので、日常語として考えるような「PならばQであるときに、Pなので、Qである」という文章ではない。これに対して対偶による証明に相当する後件否定（*modus tollens*）の論理式は、「$((P \supset Q) \wedge \neg Q) \supset \neg P$」で、これもトートロジー（$P$、$Q$の真偽にかかわらずつねに真）である。ここで括弧内の言葉は初期の論理学で導入されたラテン語で、*modus* は英語のモード（様式）と同じだが、*ponens* は置く・肯定する *ponere* の、*tollens* は取り除く・否定する *tollere* の、それぞれ現在分詞である。同値「$P \equiv Q$」は「$(P \supset Q) \wedge (Q \supset P)$」の略記であり、$P$と$Q$の論理値が等しい（両方とも真か偽）ときに真となる。日本語にある「前件」「後件」（それぞれ、上のP、Qにあたる）は原語にはないが、これも時間的な前後を表すわけではなく、式の中で先に出てくるか後に出てくるかという区別である。

ところで、推論にはもう少し別の要素が必要である。それは、「すべての」とか「或る」という限定する言葉である。科学の理論は基本的に「すべての何々が」という形で定式化されるが、実際に観察される現象は、「或る何々が」という形である。このギャップをどう乗り越えるかが、科学理論を構築する上での問題となる。こうした量的概念を扱う論理学が述語論理である。「すべての」を「∀」（全称量化子）で表す。「或る何々がかくかくしかじかである」ということは「かくかくしかじかである何々が存在する」と言い換えて、「存在する」を「∃」（存在量化子）で表す。それぞれ「All」と「Exists」の頭文字を裏返したものとされるが、これらの記号の確立にはドイツ人のフレーゲ以降、多くの研究者が関わり、同じ文字で始まるドイツ語の言葉としても解釈可能なようになっているのかもしれない。この場合、すべてのxについて或る命題P（述語論理では命題関数Pxなどと表記する）が成り立つと、或るaについてもその命題Pが成り立つのは当然である（$\forall x Px \rightarrow Pa$）（全称例化）。ただし、$x$を定義する範囲

（「議論領域」domain of discourse と呼ばれる）に a が含まれるときの話である。この議論領域の設定の仕方によっては、常識とはかなり異なる論理式が真となるので注意が必要である。野矢の教科書の例（p.103, 例題8（1））に紹介された例では、$\exists xFx \supset \forall xFx$ という論理式を評価する際に、議論領域 D を「人間」、Fx を「x はほ乳類である」としたとき、この論理式（第一項「ほ乳類である x が存在する」は真、第二項「すべての x はほ乳類である」も真）は真となるが、議論領域 D を「動物」とし、Fx を「x は肉食である」とすれば、この論理式（第一項「肉食である x が存在する」は真、第二項「すべての x は肉食である」は偽）は偽となる。つまり論理式そのものの形式だけでは真偽は決まらないことがある。この考え方は、あとで帰納の問題を考えるときにも参考になると思われる。

また、特に限定のない a について P が成り立つなら、すべての x について P が成り立つとしてよい（$Pa \rightarrow \forall xPx$）（全称汎化）。一方、或る a について命題 P が成り立つとき、Px が成り立つような x が存在すると表現することになる（$Pa \rightarrow \exists xPx$）（存在汎化）。さらに、$P$ を満たす x が存在するとして、$P\alpha \supset Q$ が成り立つとき、Q が成り立つ。ただし Q は α（特定の条件を満たす個別の項をアルファで表している）を含まないものとする（存在例化）。この最後の規則はわかりにくいが、三段論法では必要になる。野矢の教科書の例を引用（p.117, 問題54（2））すると、すべての鳥には羽がある。
飛べない鳥もいる。
それゆえ、羽があっても飛べないものもいる。

これを証明するには、「xは鳥である」をFx、「xには羽がある」をGx、「xは飛べる」をHxとして、

$$\forall x(Fx \supset Gx),\ \exists x(Fx \wedge \neg Hx) \rightarrow \exists x(Gx \wedge \neg Hx)$$

を証明する。その過程で、$\exists x(Fx \wedge \neg Hx)$から、$\alpha$（アルファ）を使って、$(F\alpha \wedge \neg H\alpha)$が導出され、その結果、$(F\alpha \wedge \neg H\alpha) \supset \exists x(Gx \wedge \neg Hx)$が導かれるが、そこから$\exists x(Gx \wedge \neg Hx)$を結論するときに、この存在汎化の規則を使っている。これは二番目の前提が存在命題だからで、二つの前提の両方が全称命題となる三段論法では全称汎化を使って証明する。

この節ではごく簡単に論理学の知識をまとめたが、詳しいことは論理学の教科書を見ていただきたい。それでもいくつかの重要な示唆が得られたことをまとめておきたい。まず、ふつうの（古典的）論理学には時間や順序、因果関係が含まれないこと、そして、述語論理の項（上でxなどと表したもの）には議論領域があることである。この二点は、経験科学の推論を考えるときに参考になる。

3 科学的推論の種類

科学で用いられる推論は必ずしも論理学の推論ではない。オカーシャによれば、推論には、演繹 deduction と帰納 induction、さらに最善の説明による推論 inference to the best explanation（IBE、またはアブダクション・仮説形成 abduction）などがある。以下、それぞれについて、改めて考えてみよう。演繹は一般的命題から個別的命題を導き出し、帰納は個別的命題から一般的命題を生み出す推論と言うことができる。そのため、推論の説明をするときにはいつもペアで紹介される。私はこれに異論がある。帰納を本当に科学研究で使うことがあるのだろうかと疑問を感じるからである。むしろアブダクション（帰納の一種とされることもある）が重要だと思うのだが、これについては後で説明する。

科学で、普通に推論と言えば、演繹を指していると言ってもよいかもしれない。演繹では、三段論法のように、普遍的に成り立つ第一前提があり、個別がその普遍に含まれるという第二前提から、個別に関する確実な記述を導き出す。論理学で正しい推論を導く論法とされ、数学では一般的なものである。もう少し広く、上で紹介したような論理学で必ず正しいと証明された推論を一般的に演繹と呼ぶこともある。しかし、科学は論理学とは違う。科学において演繹が役立つとすれば、仮説を検証する際、さまざまな予測を生み出すために有用だということが挙げられる。多くの数学者は数学が自然科学の基礎にあると主張するが、それもこの演繹の力を信じてのことである。なぜなら、演繹は、正しく使えば、確実なことを推論することができるからである。ところがよく考えると、数学の証明は、新規な知識を増やすことになっているのだろうか。前提が与えられたと同時に帰結は成り立っているはずなので、帰結を求めるために手順を踏んで証明することで新たな知識が生み出されるわけではなく、単なる頭の体操、人工的に作った論理とも思われる。コンピュータによる数値計算などをやってみると、論理を組み立てることとは無関係に、前提からいきなり答えが出てくることがよくわかる。数学の場合、最初に仮定したいくつかの公理をもとにして、あらゆる定理が演繹的に証明され、非常に生産性の高い学問にも見える。だが、経験的科学では事情が異なるのではないだろうか。観察された事実や実験結果から、それを導く理論を考え出すのは経験科学特有のことである。そのときに演繹がどのような形で働いているのだろうか。あとで演繹も使い道があるという話をするが、一般的な理解としては、演繹は新規の科学的知識を獲得する役には立たないように思われる。現実の世界を相手にする自然科学と数学では、推論の仕方はおのずと異なるのではないだろうか。

では、自然科学で新たな知識を生み出すのはどのような推論によるのだろうか。一般には帰納がそれに当たると言われている。帰納は、多数の既知の事実に基づいて、それに類似と思われる別の事象を予測するもので、経験的な科学法則は基本的にこれによっているとされる。帰納の代表的な例として挙げられるのは、枚挙的帰納法であり、類推もこれに準ずる。アブダクション（仮説形成）も帰納の一種とされることもあるが、本書では区別して扱い、後で詳しく述べる。枚挙的帰納法では、「ネコaはネズミを追いかける」「ネコbはネズミを追いかける」などという命題が多数あったときに、一般的に「ネコはネズミを追いかける」と結論づける。あるいは、「一昨日は太陽が東から昇った」「昨日は太陽が東から昇った」などという命題が多数あったときに、一般的に「太陽は東から昇る」と結論づける推論法を帰納と呼んでいる。しかし、こうした推論は本当に科学の推論として役立つのだろうか。どうして科学哲学者はこんな例を議論するのだろうか。私は非常に疑問を感じる。この疑問も、後で詳しく検討する。

科学的に意味がある最も単純な帰納の例は、次のようなものだろうか。すなわち、異なる容積の水の重量を測定してグラフにすると、ほぼ直線になることに基づいて、新たに汲んだ水の容積から、その重量を推定するというような課題である。これもアブダクションと言えるかもしれないが、帰納と言えないこともないだろう。これについても後で検討する。

いろいろなものを後回しにするのは、先に紹介すべき問題があるからである。一般的に、さまざまな科学の分野で、二種類の量の測定を行い、その結果から、それら二つの変数の間の法則性を導き出して、予測に使うという課題は数多くある。この場合、これまでに行った実験の結果に基づいてしか一般法則は導けない。しかし、その一般法則からは未来に起きる現象が予測できるとみなされる。それが可能なのは、過去と未来で同一の法則性が保証されているという暗黙の前提によっている。これを自然の斉一性 uniformity of nature と呼ぶ。さらに、時間的な斉一性以外に、空間的な斉一性もあるかもしれない。一般相対性理論が語るように空間がゆがんでいれば、「ここ」と「そこ」で、起きることは同じにはならないかもしれないからだ。自分が行った実験結果が、時間的にも空間的にも拡張できると一般には信じられているが、このことが無前提に成り立つとは限らない。

4　帰納に対するヒュームの疑いを疑う

18世紀の哲学者デイヴィド・ヒューム（1711〜1776）は、帰納を用いることは合理的でないと考えた。その根拠は、自然の斉一性を保証する理由がないからである。彼が否定する原理（自然の斉一性）は次のようなものである。

> われわれが過去に経験のない事例は、われわれが過去に経験のあるものと似ているに違いない、そして、自然の推移はつねに同様に均一に続く。(Hume 1739, p.89, 筆者訳)

この原理を否定すると、過去に行った実験の結果をもとにして、未来の予測をするのは合理的でないことになる。ヒューム自身は、因果関係についても懐疑的で、それでもわれわれが未来の予測ができることについて、心理学的な考察で切り抜けようとしたが、実際問題として、ヒューム自身は満足な解答を与えることができなかった。

私からの注意としては、こういうすべてを覆すような大議論はたいていどこかがおかしい。ヒュームが生きた18世紀は、まだ統計学も実験計画法もなく、自然科学の論文も、ほぼ日記のようなものだった。「何月何日、天気がよかったので、こういう観察や実験をした」という感じである。20世紀前半まで（分野により1970年代まで）は、多くの論文が、きれいにできた一回の実験結果を発表していた。分野によっては統計的な処理がメインのものもあったであろうが、多くの科学分野では統計的有意差は問われなかった。有機合成の論文などは今でもきちんとできた実験の結果を報告しており、それで問題ない。新たな生物種を発見したときなども、たった一個体であっても、それを報告するのが普通である。

それでも、ヒュームの提起した問題が現在の科学のあり方に本質的な疑問を投げかけることができるのだろうか。哲学的には、確かにこうした疑問は本質的であるかもしれない。一抹の不安もなく、未来を語れる人はいないからである。これは哲学だけに限らないかもしれない。明日は何が起きるかわからないというのは、歌の文句にもある。ドリス・デイのヒット曲「ケ・セラ・セラ Que será será」とは、スペイン語（もどき）の歌詞で「明日はなるようにしかならない」ということだが、その場合はむしろ希望に満ちている。実存思想では、未来は明るいというニーチェやサルトルなどと、絶望だというキルケゴールなどに分かれる。

例を挙げて検討してみよう。

例1

昨日までは、毎朝、東から日が昇っていたので、明日からも、毎朝、東から日が昇るだろう。これはオカーシャの教科書にも説明されている例で、一般には正しいが、誰も保証できない。明日突然、大きな隕石が地球にぶつかって、軌道が大きく変わってしまうかもしれない。地球の自転も変化するかもしれない。太陽が突然核融合をやめて燃え尽きてしまうかもしれない。実際問題として、今日明日でなければ、50億年後には太陽の火が消えることは間違いないので、この問題は確かに期限付きでしか保証されず、ヒュームは正しいと言ってもよさそうに見える。

ただし、うるさいことを言うと、毎日本当に日の出を観察すれば、太陽が出てくる位置はずれていく。それもかなり明確にずれることはよく知られている。私自身は家の窓が南西を向いているので、日没の位置が日々移動するのがよくわかる。昔住んでいた家で、母は日の出の位置が日々移動すると言っていた。ヒュームの文章には「東」とは書かれていないようだが、この表現を多用する哲学者たちは、おそらく本当に毎日の日の出を見たことがないのだろう。

例2

卵のパックから取り出した5個は腐っていなかったので、残りの1個も腐っていないだろう。これもオカーシャが挙げている例であるが、これはかなり無茶な推論である。何の事前情報も無くこの問題が出たのなら、最後の1個は卵が出るのかすら、わからない。くじ引きの赤玉と白玉の話のようなものである。稀に入っている青玉が出るかもしれない。

いくら何でもそれでは帰納を考える問題にならない。そこで卵のパックは、今日のきちんとした生産体制の中で販売されていることを前提にする。大きな母集団で、腐っている割合がわかっているとする。個別のパッケージに含まれる腐った卵の比率の期待値と分散は実測値に基づいて演繹的に計算できる。

しかし、今日のデータから翌日のデータを推定することはできないと言われるかもしれない。養鶏業の歴史の中で、日々のデータのばらつきについても期待値と分散は求められているので、翌日の結果はある範囲内で予測できると考えるのが普通である。依然として、これは帰納的推定ではあるが、全く知識なしに考える推定とは異なる。生産における品質管理 Quality Control（QC）はこのような考え方である。現代の商品生産ではQCを徹底している以上、ばくち的要素はきわめて少ないので、ヒュームの疑いは原理的なもの、限定的なものにとどまる。

さらに別の例を考えてみよう。

例3

企業が社員を雇う場合、明日、その社員が会社の金を持ち逃げするとは考えない。社員も犯罪を犯すことで一生を棒に振るリスクがあるので、よほど利益がなければ実行しないだろう。突然、革命が起きるような状況でないかぎり、無謀なことはしない。ここでは単なる推論の問題というよりは、社会的に人間が生きていく上でのさまざまなフィードバックに基づく制約が含まれる複雑な過程を考える必要があり、ヒュームの疑念は消えないが、状況は単純とは言えないだろう。最近のように、新入社員が入社翌日に辞めるケースが取りざたされると、この疑念も真実味を帯びてくる。また、保釈中の被告人が国外逃亡を図るという前代未聞のことが起きる世の中なので、ヒュームの疑念にも少しは敬意を払うべきかもしれない。

例4

保険のセールスも、通常、顧客のもとに頻繁に通って信頼を得ることで、契約をしてもらう。その場合、セールスマンが契約者の不利益になることをするとは考えない。これは、会社の信用に基づいている。「かんぽ生命」はそれでも信頼を裏切ったのだが、それも長続きしなかった。

この二例のように、社会生活では過去に基づいて未来に信頼を寄せるのが一般的で、それを保証するのは政府や経済のしくみなどの役割と考えられる。

例5

現存する生物は過去に経験したさまざまな環境で生きられるものが残ってきているので、未来もさまざまな同様の環境が繰り返されるという前提で生きている。これが、想定される範囲での環境変動に対してなら、生物がうまく適応的に反応できたり、合目的性をもつ行動ができたりする理由である。突然、きわめて大きな気候変動があれば、生きていけないのは当然である。ただし、適応の振れ幅の範囲内で、多少の変化には耐えられる。つまり、自然の斉一性は生存の大前提である。

上の例2〜5のように、現実世界や生命世界では、さまざまな周辺状況からのフィードバックなどが複雑に絡んでいるため、それぞれの事象が独立にはならず、明日のことは完全にはわからないかもしれないが、全く何が起きるか分からない状況でもないことがわかる。

もっとも、ヒュームのように、安直に自然の斉一性を疑うことには、根本的な疑問がある。

まず、実践的な行動原理としては、斉一性を前提としなければ、どんな行動も起こせない。推論を机上の空論だけに限定するのなら、斉一性を疑うのは自由だが、実質的に意味をなさない。学問は何らかの形で人間の実践に結びつくものであるはずだからである。また、斉一性を否定するにしても二通りのものが考えられる。つまり、大きな断絶があると考えるか、徐々に変化していくと考えるかである。宇宙全体の状態の変化は徐々に起きると思われるので、そのことによるわれわれの経験への影響も徐々に起きる。つまり、急に世界の法則が大きく不連続に変わるとは思えない。これに対して、大きな断絶も起きうるとすると、本当に将来のことは見通せない。ヒューム自身が書いていることも、どちらかと言えば、急激な断絶ではなく、徐々に起きる変化を想定しているようである。それならば、過去のことに基づいて、何とか行動の指針は立てられそうである。

しかし、本質的な疑問がある。そこまで斉一性を疑うのなら、ヒュームの疑いそのものの前提にも疑問がある。これまで何度も観察されてきた事象に基づいて、将来に起きることを予測するという場合、厳密に考えれば、過去の実験や観察は、どれ一つとして同一条件ということはありえない。宇宙は膨張していて、宇宙空間に存在する質量や場の分布は刻々と変化している。そうしたものからの影響を考慮するならば、地上で行う実験や観察を、常に全く同じ条件で行うことは不可能である。生物実験では、個体はそれぞれ違っていて、同じ実験をしたことにならないと「うそぶく」こともできる。そうしたばらつきが実験誤差の範囲内に収まっているという信念のもとに、過去の実験や観察の結果を一つの自然法則にまとめ上げるのである。明日何が起きるかわからないなどと疑う以前に、過去の実験のそれぞれは別の実験だと主張するならば、そもそも帰納的推論などというものは存在しないことになる。それでも、個々の事象は全く独立だと認めた上で、多次元統計解析を行えば、未来の指針はできるかもしれない。統計学が標本集団のランダム性（これも一種の斉一性かもしれない）を前提にしているという批判はあるかもしれないが、基本的にはふつうの意味での自然の斉一性は前提になっていないとみてよいだろう。いずれにしても、現実世界を相手にした推論ということが、自然科学と数学・論理学との違いである。

ヒュームの時代は、科学がまだ知識人の牧歌的な遊びだった時代である。ヒュームは帰納的推論を認めなかっただけでなく、そもそも因果関係も認めていなくて、原因と結果の関係も心理的な連想のようなものに過ぎないと考えていた。だから、過去の観察についても、それぞれはバラバラでよかったらしい。ヒュームは確率（の当時の考え方）を使って解決しようとしたようだが、これについてはこの後で取り上げる。

5　帰納の問題をどう克服するか

オカーシャの本では、帰納の非合理性というヒュームの疑いに対して、科学哲学者たちが考えた次のような解決法が紹介されている。

（1）帰納は確率を高めるという解釈：つまり、絶対的な真理とは言えないにしても、帰納によって導かれた一般法則は、正しい予測ができる確率が高いと考える。オカーシャは第2版でベイズ推定を持ち出してこれを解説している。

（2）もともと帰納は正当化する必要のあるものではないという考え：開き直って、人間はこうやって予測するものだと考えてしまうなら、何も、くよくよ疑ってかかる必要はないということになる。上に述べた私の考えもこれに近い。

ここで、最初に提起した「そもそも帰納とは何か」という問題に戻って考えてみたい。ネコがネズミを追いかける命題でも太陽が毎朝東から昇る命題でもよい。よく考えてもらいたい。ネコとは何か、ネズミとは何か、太陽とは何か、朝とは何か、東とは何か。命題の中で使われている概念を一つ一つ定義しなければ、命題は意味をなさない。ネコを定義するにはネコのさまざまな属性を列挙し、それらすべてを満たす動物をネコと見なすのであろう。しかしそれでもライオンの子供をネコと見間違うかもしれない。ネコから生まれたことが分からなければネコとは確認できない。そこらを駆け回っているネコらしきものがネコだとどうして言えるのか。読者は、「何もそこまで疑うことはないだろう」と思うかもしれない。そんなことはない。それだけぎりぎりの疑問を扱っているのだ。科学というのはそれだけ厳密なものだ。たとえば、山で何らかの動物を捕獲したり、植物を採集してきてその性質を調べるとする。たとえば、「ベニテングダケは毒をもっている」という命題を証明するには、本物のベニテングダケを集めてきて、そのすべてに毒があることを、何らかの方法で調べなければならない。何も動物に与えて殺してみる必要はなく、化学分析をして特定の毒成分を検出するのでもよい。これは現実に私も経験がある問題である。研究室で長年育てられてきた植物や動物、微生物ならば、実験材料の由来に疑いはないが、そうでない実験材料を使う研究では、野外で採集してこなければならない。しかし、採集したものが正しく目的のものであることは簡単にはわからない。多くの場合、専門家に見てもらって、これは間違いないと「同定」identification されたものをいくつか集めるのである。その場合、専門家は、その生物のさまざまな特徴の他に、今の季節にどこで採れたものかなどという情報も利用する。そうしてやっとのことで集めた材料を分析して、そのすべてに特定の物質があれば、その生物にはその物質があることがわかる。たとえば、ベニテングダケには毒があるということが実証されるわけである。これを帰納と呼ぶと、一般には見なされている。なお、「同定」は自己同一性 identity を証明することで、これは意外と難しい。海外で自分が自分であることを証明するには、パスポートを提示する以外にないが、これもずいぶんといい加減な証明方法ではないかと思う。或るものがかくかくしかじかのものであると決めるのは難しいし、或るものがかくかくしかじかの種類のものであると決めるのもかなり難しい。

この帰納の論理はどこかおかしくないだろうか。特定のキノコをベニテングダケと同定するにはすでにたくさんの指標を使っている。毒性も多くの指標の一つに過ぎないはずである。仮に毒のない個体があったとしても、それは変異か季節変動か生育段階の違いと考えられるかもしれない。つまり、現実の科学では、たくさんの指標をもとにして一つの生物種を特定していて、その生物が特定の属性をもつかどうかも、その特定する際の指標に含まれてしまうのである。言い換えると、ここで行われている作業は分類であり、多数の属性によるクラスター分け（クラスタリング）である。この場合、ある一つの性質をもっていなかったとしても、それ以外の10種類の性質をもっていれば、やはりベニテングダケと見なすかもしれない。逆に、非常に重要な特徴を欠いていれば、これはベニテングダケではないと言えるかもしれない。その場合、「すべてのベニテングダケは毒をもつ」という命題は帰納的に得られるものではなく、クラスタリングの指標の一部を構成しているのである。つまり、ベニテングダケがもつどの特徴も、それぞれがベニテングダケを同定する指標の一部であり、「ベニテングダケはこれこれの特徴をもつ」という命題は、帰納的にも演繹的にも得られたものではないのである。

ネコやネズミの問題も、結局は、このキノコの同定と同じ問題がある。そもそもネズミという種は存在しない。ネズミ目という分類群が存在するだけである。ハツカネズミやドブネズミが種である。命題を正確に述べるのはかなり難しいのだが、ここでもやはり、ネコやネズミを同定するために必要な多くの性質を考えたとき、ネコがネズミを追いかけるというのもその一つの性質に過ぎず、クラスタリングの一項目になってしまい、帰納の問題と言えなくなるのではないだろうか。

では太陽はどうか。本当に何も知らない太古の人を考えてみる。「東」はどうやって決めるのか。当然、太陽が上がってくる方角である。「朝」は太陽が昇る時間のことである。昨日の太陽と今日の太陽は厳密には少し違う。それは太古の人もわからないかもしれないが、望遠鏡で黒点やフレアの様子を調べればすぐにわかる（ちなみに、直接観察するのは危険なので、紙に投影して観察する）。しかし常識的に、昨日の太陽と今日の太陽が違うなどという人はいない。それは、太陽が天空をまわるタイミングを考えればすぐにわかる。昼間、太陽が天空をまわっていく時間から推測すれば、太陽が沈んでも、地面の下をぐるっとまわってくる時間は、だいたい妥当な時間であることがわかるだろう。そうすれば、昨日の太陽と今日の太陽が少し違って見えたとしても、それでも太陽が東から昇ると言えるだろう。その場合、何も分からずに、いきなりある方角から太陽が出てくるなどということではなく、大地のまわりを周回していることを前提に、同じ太陽がまわってくると考えるはずである。もちろん、すでに指摘したよう

表1　水の体積と重量の関係の測定結果の例（模式的に示したもの）

X（水の体積、ミリリットル）	Y（水の重量、グラム）
1.00	1.05
2.00	1.98
3.00	2.96
5.00	5.13
8.00	7.89

に、毎日太陽が昇る位置は少しずつずれていくが、それでも同じ太陽が昇ることくらいは分かるはずだ。しかも、昇る位置は一年の周期できちんと戻ってくるのだから。これでは天動説になると思うかもしれないが、第8章で述べるように、相対運動を考えれば地動説でも同じことである。大事なことは、昨日までの太陽の動きを考えて、少なくとも昨日までの何日間か（観察者が生きていた間）、太陽が大地のまわりを周回していたということが、帰納的命題の結論である。それを明日の予測に使うかどうかは、本当は別問題である。実際に観察できた範囲で結論を出す限り、帰納は間違いではない。つまり、論理学で使われた「議論領域」を観察者が観察した限りのデータに正しく設定すれば、論理は正しいものになる。

さらに、比例するデータの問題も考えてみたい。たとえば、表1のようなデータがあったとする。実データではなく、あくまでも私がもっともらしく数値を入れただけであるのはご容赦願いたい。

このとき、$Y=1.0\times X$ の関係になっていると考えられる。これは帰納である。だからといって、この関係がX＝10のときに成り立っている保証はない。数学でも出てくるが、定義域という概念がある。Y＝2Xのとき、−2≦X≦5という定義域が与えられれば、Yの値も−4から10までの範囲にしかならない。今の場合、体積や重量を問題にしているので、当然、X≧0、Y≧0である。さらに、現実の実験では、測定器に入らない量の測定はできないので、XにもYにも上限はある。もちろん、今の設定では水の体積と重量は完全に比例することが、別の理由、つまり、水が分子からできていて、温度や圧力が一定のもとでは密度は一定だという理論から導かれる。しかし、本当に得体の知れない対象の測定をする場合なら、実際に測定した範囲でしか定式化はできない。その場合、帰納でも正しい結論を与えることになり、ヒュームの問題は起きない。厳密な哲学的議論としては、こうした「内挿」と「外挿」の話では、帰納の問題を議論したことにならないと言われるかもしれない。仮に1ミリリットルの水の重量を昨日測定して1グラムだったからといって、明日も同じ結果になるとは限らないという批判があるだろう。毎朝太陽が昇る話と同じように考えるならば、こういう批判も正当かもしれない。しかし、同じことをやって同じにならないならば、何かを推論するとか、合理的な判断をするとか、そういうこと自体成り立たない。同じことを同じ前提で議論しても、昨日と今日では違う結論を出しても構わないのだろうか。それでは、人格の統一性もなくなってしまう。実験の再現性というレベルでの斉一性の疑いについては、この節の最初に挙げた二つの解決法のうちの（2）を採用する以外にないだろう。ただし、ヒュームが疑った「経験のない事例を経験のある事例から類推すること」がこれにあたるのかどうか、太陽のような手の届かない外的なものと、その個人が自由にできる事柄とでも事態は異なるように思われる。

この節のまとめとしては、定義域や議論領域を考えれば、帰納の問題は基本的には解消できると思われる。これは、あまり議論されることのない解決策であるが、素直に考えれば、これでよいのではないだろうか。

6　現実の科学の場面で帰納の問題を考える

多くの論文では、実際に実験をしてデータが得られた範囲内で、結論を述べているに過ぎず、それが他の場面に拡張できるかどうかは保証していない。論文で結論を述べるときに「as far as we observed」（観察した限りで）などといった限定がよく書かれている。実験をしている本人は一般的に成り立つかもしれないと期待しているものの、自分たちが実験を行った範囲でしか結果は保証できないということである。

たとえば、植物の葉を切り取って土に植えると、そこから新たに芽と根が出て、新しい植物体ができることがある。これはカランコエなど特定の植物でよく見られる現象だが、適切な培地を使うなど条件をうまく整えてやると、多くの植物の葉でもできるかもしれない。こうしたことを報告する場合、Aという植物を使い、これこれという生育条件で育てた時の何枚目の葉から、ある方法で葉片を切り出して、これこれの培地に植え、それをある特定の条件で培養すると、発根し、芽が出るということをできるだけ詳しく記載する。これは同じ条件で実験をした場合にも、同じような結果が得られる見込みだということで書かれており、一般に、他の人が同じ条件で実験をして、結果が再現できなければ、もとの論文は信用されない。その意味では、非常に制限付きではあるが、実験の再現性という斉一性に基づく帰納的推論が使われていることになる。

しかし、この論文を読んだ別の研究者Bが、自分もたまたまAという植物を育てていたので、それを使って類似の実験をしたが、うまく根が出なかったとする。その場合、実験条件のどれかが違っていた可能性がある。Bさんの実験がへただったために期待通りの結果にならなかったわけではないことを確認するために、できるだけ最初の論文のやり方に忠実に実験をしてみなければならない。そしてうまく実験が再現できたならば、今度は、うまくいく場合といかない場合で、何が違っていたのかを検討する。それには、考えられる実験条件を一つ一つ変えて、実験をしてみる。たとえば、植物の生育条件や、使う葉の部位や、植え付ける培地の種類、培養条件などである。こうすることによって、この植物体再生実験に特に重要な条件が判明する。よくあるのは、培地に使う成分のメーカーやロットの違い、用いる水の種類（蒸留水、ミリQ

精製水、特定の土地の水など）、培養装置に用いる光源の種類やメーカー、培養装置内の送風の強さと温度の均一性など、私もいくらでも経験がある。この話の場合、帰納が不確定な予想をもたらしたことにはならない。実験が厳密に制御された条件で行われている限り、一般にはその実験を再現することはできるし、できてはじめて、科学的な実験事実として認められる。帰納的推論といっても、非常に限定された条件のもとで成り立つ法則を述べているにすぎないからである。上で述べた「定義域」「議論領域」という概念に近い。それでも、他のCさんが実験をしたら再現しない可能性は残っているかもしれないが、科学ではこのように際限なく疑うことはしない。少なくとも他の人が追試験をして再現できれば、その研究は信用される。確かに自然の斉一性は保証されないのだが、おそらく、それ以上に、正確に同じ実験を再現すること自体が難しく、実際問題として、自然の斉一性は最初に疑う問題にはならないのである。仮に結果が違っていても、その原因は自然が斉一でなかったためではなく、実験条件のどれかが少し違っていたことによるのが一般的だからである。もちろん、この考えも帰納だと言えば言えるが、実験条件を整え直して再度実験することで再現できるとすれば、結局、帰納は正しかったことになる。つねに先に進めていくという科学のやり方では、どんな知識も暫定的なものかもしれないが、何度も確認する努力をすることでそれを乗り越えているのである。

　このように、本当に科学知識を得る過程を考えれば、ヒュームの問題はあてはまらないことになるように思える。物事を固定的に考えて、手持ちのデータを使って帰納的に得られた結論をもとに、未来を予測しようと思うから自然の斉一性が問題になるのである。二つのことを確認しよう。第一に、帰納する段階では、手持ちのデータの範囲でしか結論を言わなければ、帰納は正しい。もちろん、測定点の中間の値を内挿する場合など、この確信が多少怪しくなるのだが、Xがごくわずか違ったときにYがとんでもない値をとることがないというのは、連続性から言えることで、明日の予測ができないよりはだいぶ確実性が高いように思う。厳密に言えば、分子一個ずつの質量単位ずつでしか水の質量はありえないので、本当に細かいことを言えば、水の質量はとびとびの値しかとらない。その意味では連続性は成り立たないのだが、それでも、測定している規模に見合った連続性は十分に成り立っている。さらに、ほぼ滑らかな変化をするという変化率の連続性も成り立つであろう。自然の斉一性の議論の中には、連続性を認めるか、それも認めないかという違いがあると思う。連続性を認めないのは、現実の世界を扱う自然科学にはふさわしくない。少なくとも、科学的理論形成が不可能になる。もう一つの重要な点は、科学は継続的な活動であるということである。帰納的予測と現実のずれを調整しながら新しい予測をするというように発展的に考えれば、帰納的推論が究極的に正当かどうかを問うことは意味がないとも言える。これは後に出てくるベイズ推定の確率を高めていく話に似ている。ある時点で絶対的な真理は存在しないということになる。

本書の最初で、科学と技術の区別のことを述べたが、帰納の問題を、技術の面で考えてみると、話は全く違ってくる。技術に関しては第9章5節で詳しく述べるが、一般に、製品開発をする段階では、考えられるあらゆる使用局面を考えて、どんな場合でも誤作動を起こしたり、危険なことが起きたりしないことを確認するものである。そのため、技術を考えたときには、議論領域や定義域の設定がきわめて重要になる。つまり、使用者が行うことを最大限想像して、その全体を議論領域とするのである。議論領域の全体で予め試験して安全性を確認しておけば、原理的には安心して使える製品ができることになる。現実には想像力が及ばなくて、ネコを電子レンジで乾かすなどということも過去には起きたのであるが、別の可能性としては、特定の条件の組合せのときだけに異常なことが起きることも考えられる。こうしたことは装置の試験をいろいろな人にやらせてみるなど、さらに一層の工夫が必要である。いずれにしても、技術に関しては、議論領域を適切に設定し、その範囲で十分な検証、つまり経験を得ていれば、優れた製品を世に出すことができることが期待される。つまり、帰納の問題は解消する。昨日までうまく働いた装置が明日は爆発するという、オカーシャの教科書にも挙げられていたような恐れは永遠に消えないが、そうした危惧を別にすれば、帰納の問題は技術に関しては、本質的に存在しないように思う。理論的な科学の法則に関しては、物理学でも生物学でも、すべてを尽くした実験はできないので、いつまでも検証を続ける他ないかもしれない。

7　最善の説明を導く推論

もう一つの推論形式が最善の説明を導く推論である。英語ではInference to the best explanation（ＩＢＥ）と言うが、パースによってアブダクション abduction と呼ばれたものもよく似ている。

> アブダクションは説明仮説を作るプロセスである。それは新しい考えを導入する唯一の論理操作である。なぜなら、帰納は値を決定するのみであり、演繹は純粋な仮説から必然的な帰結を導くだけだからである。演繹はある事柄が成り立つはずだということを証明する。帰納はある事柄が実際に起こっていることを示す。アブダクションは単にある事柄が起こりうることを示唆するだけである。その唯一の正当化としては、その示唆から演繹によって予測を導き、その予測は帰納により検証できること、そして、われわれが何かを学んだり現象を理解したりするとすれば、それはそのことが引き起こされるはずのアブダクションによってであるはずだということである。(Peirce 1903/1931, 筆者訳)

ＩＢＥとアブダクションは完全に同じということではないようだが、科学における使い方としては似ている。オカーシャの『科学哲学』では、夜中にものを削るような音がして、翌日見ると台所からチーズがなくなっていたという問題を考察している。その場合、ネズミがチーズを食べてしまったか持って行ってしまったという推論を妥当な推論と考える。それに対して、たまたま給湯器が故障して変な音をたてていたときにメイドが盗んだというような推論も不可能ではないが、最初の推論の方が優れていると考える。また、帰納的推論もＩＢＥの一種と考える科学哲学者もいるとされる。

一見わかりにくい言い方だが、ＩＢＥは、いろいろな仮説を考えた中で、一番妥当だと思える仮説を選ぶ過程を指すと考えれば、一般に、実験から仮説を考えるときがこれに相当する。実験データは限られているので、それをもとに一般法則を考え出すのは、帰納かアブダクションということになる。実験データをグラフにしたときに、直線で近似できれば帰納ができることになるが、もう少し複雑なモデルを考える場合、アブダクションとなる。いずれにしても、いったん考えたモデルや法則から、次の段階として、演繹的に予測をして、それを実験により検証する。これを仮説演繹法などと呼ぶこともあり、科学教育の分野では定番の「科学的方法論」である。現実の場面では、アブダクションは帰納的推論とかなり似てくる。

しかし、論理学の問題としては、結論から後付けの原因を推定することに相当するので、アブダクションは（帰納も？）誤謬《ごびゅう》の一種と分類される。論理学では「$((P \supset Q) \wedge Q) \supset P$」は後件肯定とよばれ、$P$と$Q$の真偽によって、真にも偽にもなりうる論理式である。つまり、ＡならばＢであるとき、ＢであるからといってＡであるとは限らない。ＣならばＢというように、

Bを帰結とする別の推論もあるかもしれないからだ。実験結果を説明する理論は一つとは限らない場合がこれに相当する。普通の科学的思考ならば、さまざまな理論を検討し、それぞれの理論が正しかった場合に起こりうる他の帰結を想定し、それらを検証する実験をするだろう。そうやって、可能性のある理論を一つ一つつぶしていき、もはやそれ以外に考える余地がなくなったところで、その残った理論を正しい理論として提案するのである。それがIBEということになる。上述のチーズをネズミが盗む話のように、単なる憶測をいろいろ考えて、これが一番良さそうだと考えるのではなく、自然科学の研究では、とりあえず考えられる可能性を全部検討し、理論的に他の知識と確実に矛盾すると思われるものは除外した上で、さまざまな可能性を実験により検証・反証するのである。単に一番良さそうな理論を探すのではなく、そこにさらに実験や理論の検討が加わったものが、本当の科学的推論なのである。科学哲学での推論の問題では、こうした現実の科学のプロセスに対する考慮が足らず、形式的な演繹、帰納などの説明で終始するのが残念である。

もう一言付け加えるならば、ダーウィンの進化論は、まさしくアブダクションの産物である。彼は、ビーグル号での観察結果を説明する理論として自然選択を考えたが、この場合、人為選択がモデルになった。人為選択では、品種改良が起き、優秀な家畜が選抜される。同様に、自然選択では、生存に適した種が生き残り、観察結果を説明できる。つまり、人為選択というモデルとのアナロジーに基づいて、自然選択による進化という推論が可能であることを導いたのだが、進化を説明する他の理論もあり得た。『種の起原』の後半で、ダーウィンは考え得るさまざまな別の説明を否定する努力を重ねた。こうした意味で、ダーウィンの進化論はアブダクションによって得られたことになる。ちなみに、これはダーウィンの理論形成の記述であり、その後の進化生物学における理論構築とは必ずしも同じでない。

森田（2010）には、論理ではないが有用な推論として、アナロジー（類推）も挙げられている。これも帰納の一種と考える場合もある。しかし、述べられていることを読む限り、現実に科学で使われているとは思えない。また、仮説演繹法が実際の研究に近い推論として挙げられているが、これについてはすでに述べた。現実の研究での論理はもう少し複雑になる。これについては第6章で説明する。

8　過去もわからない

最近は強力な台風が増えたとか、災害が激甚《げきじん》化しているとか、マスコミではよく、このような言葉が聞かれる。本当だろうか。少なくとも台風については、戦前のデータはほとんどない。台風の存在は認識できていたとしても、本格的に観測網が整備されたのは、昭和34年に大きな被害を出した伊勢湾台風のあとなので、昔の台風の強さは正確に測定できていない。過去に襲

表２　日本に上陸した時の中心気圧が低い台風

襲来年月日	名称	上陸時中心気圧（hPa）
1934. 9. 21	室戸台風	912（参考値）
1945. 9. 17	枕崎台風	916（参考値）
1951. 10. 14	ルース台風	935
1959. 9. 26	伊勢湾台風	929
1961. 9. 16	第２室戸台風	925
1993. 9. 3	第13号台風	930

最大勢力時の中心気圧は、特に米軍の観測機が飛んでいって調べた結果、伊勢湾台風が894 hPaときわめて強力だった。これまでの最低記録は870 hPaといわれる。昔は危険を冒して中心まで飛行機を飛ばして測定していたが、今は気象衛星のデータから推定されていて、現在でも中心気圧が900 hPa以下の台風は稀に観測されている。気象庁ホームページより。

来した強力な台風は、表２のようになり、特に最近の台風が強力ということではない。

昔のデータに関しては不正確な点が多いと思われるが、測定が粗いと、中心気圧も高めになってしまうし、最大風速も低めになるので、どちらかと言えば、台風の勢力を弱めに報告していたと思われる。気圧の測定は水銀柱の高さを精密に測るものなので、昔の測定でもかなり精度は高かったはずである。現在はむしろ簡易型の装置にパソコンをつないで測定しているので、見かけ上精密な数字が出ても、精度は必ずしもよくないという恐れもある。そのため、昔の参考値が大間違いということは考えにくい。

大災害の場合、そもそもひどい被害があると、生存者がわずかしかいなくて、昔だとその記録も残らない。今はスマホで画像が出てくるので、仮に当人が亡くなっても、それまでのリアルな状況がよくわかるが、昔は、何が起きてもその場に居合わせて生存した人にしかわからない。役人やある程度の立場の人でなければ、記録にも残せない。過去の大津波がここまで来たという目印などがあることで、避難の指標になったことは記憶に新しい。気候の温暖化に関しても同様の問題があり、昔のデータとされるものは、粗い観測をもとにした推定値に過ぎない。江戸時代以前に信頼できる温度計があったとは思えない。確かにこの50年くらいは温暖化しているとしても、その前の状況は実はわからない。最近では年輪の間隔から、過去の気候を推定する研究も報告されているが、それも、その場所だけでのデータである。異常な事象のデータは滅多に得られないため、推定される中心値だけなら昔は気温が低かったことになっているが、誤差範囲はきわめて大きいはずである。これはヒュームの問題の裏返しで、つまり、過去のこともわからない。これも先に述べた定義域・議論領域の問題である。時間軸を無限に延長すれば、何も分からないのである。そして、「昔はよかったがこれからが心配だ」というお決まりの台詞は、過去も未来も曖昧なのに、合理的な話ではない。「もはや科学的議論の段階は終わった。行動の時だ」。こんな言葉を信じられるだろうか。これも偽科学というべきだろう。まして、人間の努力で地球環境を変化させることができるのか、これは過去に経験のないことなので、ヒュームの問題ですらなく、誰もわからないはずだ。論理的にも、「温暖化ガスが増えれば地球の温度は上がる。地球の温度は上がっている」から「温暖化ガスが地球の温度上昇の原因だ」を導くのは後件肯定の誤謬である。ＩＢＥなら多くの他の要因を考えなければならないはずだ。だから「温暖化ガスの放出を止めれば地球の温度は戻る」というのも論理的には誤謬である。私の願いとしては、政策としての「温暖化対策」は温暖化しても暮らせるようにする対策であるべきで、温暖化を止める方法（があるとして）だけではないはずだ。科学が客観的知識の源泉として機能するかぎりで、人間は理性的な判断ができるはずだ。

9　因果的推論

オカーシャの原著第2版では、因果性と確率論に関して新たな内容が加えられている。そこで因果関係について書かれていることを要約すると、以下のようになる。

因果関係を求めることは簡単ではない。単なる相関関係では因果関係を推定するのに不十分である。二つのデータの相関関係が、共通原因で説明されることも多いからである。関連すると思われる因子を一定にして、よく制御された実験を行うことも一つのやり方である。医学でよく使われるのはR・A・フィッシャーの実験計画法に基づいた無作為化比較対照実験RCTである。その場合、無作為に分けた二つの集団について、薬と偽薬の効果を比較することにより、薬の効果を実証できるというものである。しかし、因果関係を求める手段はこれだけではなく、また、ＲＣＴですら単なる証拠の一つでしかないことを考える必要がある。

実際の自然科学で因果関係をどうやって求めているのか考えてみると、書かれていることはどうも少し違うように思われる。医学におけるＲＣＴは最終的に薬剤開発ができてから、社会に受け入れてもらうための試験であり、最初にその薬剤を見つけ出す段階の話ではない。森田（2010）にはもう少し詳しい因果関係の考察がある。それによると、原因を特定する理論として、反事実条件文、結果に対する影響、マーク伝達理論、保存量伝達理論、介入理論などさまざまな理論が挙げられている。以下に述べる遺伝子の場合、反事実条件文、結果に対する影響、介入理論などが当てはまるだろう。いろいろな学者がさまざまな立場から因果関係をどのように特徴付けるべきか考えていることは分かるが、現実の科学の場面でどのような論理と関連して因果関係が使われているのか、考えてみよう。物理系の実験と生物系の実験でも、やり方は違うように思われる。

物理系の学問では、観察と実験の両方がある。気体の状態方程式の場合、さまざまな圧力、温度の条件で気体の体積を量り、それらの比例関係を記述している。つまり、観測結果をもっともよく満たす関係式を見つけ出したのである。さらに、気体運動論という統計力学によって、この結果を説明することができるようになり、単なる実験式から理論へと格上げされた形になっている。しかし、そこに因果関係はない。気体の状態方程式は（理想化された）事実の記載なのである。一方で、原子核物理では加速した二種類の粒子を衝突させてできる粒子を検出するなどの実験が行われている。半導体の開発や発光ダイオードの発明でも、さまざまな物質を混ぜたものをつくり、多数の試行が行われた。こうした実験では因果関係は自明で、むしろ何が起きるかという現象そのものの新奇性が問題となっている。

　生物学では、特定の生物現象の原因となる遺伝子を探すというのが典型的な分子生物学の研究であり、一般には、その現象に異常をきたした変異体を検索することから研究が始まる。それにより原因遺伝子が特定され、その遺伝子を操作することにより当該現象にどのような変化が見られるかを吟味する。これにより、遺伝子Gが現象Pを引き起こすという因果関係が導き出される。生理学・代謝学でもさまざまな変数の関係を扱うが、細胞や生体に何らかの外力や外的因子を与えたことによる変動を明らかにするという意味では、因果関係を求めることができる。これに対し、生態学や進化学では、生物に関わるさまざまな変数の間の関係式が求められる。この場合には、因果関係というよりも相関関係という方が近い。ゲノム科学では、多数の時系列測定データを統計解析することも多い。その場合、統計解析からでも遺伝子ネットワークなどの因果関係が推定できるとされている。

　科学的知識には、そもそもこういうものが存在するというような要素の記述に加えて、数式で表されるような相関関係を表す法則の形のものと、何かが何かの原因となっているという形のものがあるようである。二番目のものは観察結果の統計解析から帰納的に導かれる。三番目のものは、さまざまな実験の結果から、演繹と帰納を用いて導かれるが、途中の過程がすべてわかる訳ではないので、その部分に関して、こう考えるのがもっとも妥当だというアブダクションが使われることも多い。

いずれにしても、過去の実験結果に基づいて知識を定式化するわけなので、未来のことは、基本物理定数が突然変わるなど、何が起きても不思議はなく、本当はわからないのかもしれない。しかし、科学理論はそこまで保証するものではないと考えてしまってもよい。キリスト教のような一神教を奉《ほう》ずる西洋世界での科学は神に代わるものとも言える。その場合、過去の知識から得た科学的知識が未来に適用できないことは、神が支配する世界の普遍性・永遠性に疑いをもたせることになる。ヒュームの問題というのは、こんな背景があるようにも思える。いまある知識はあくまでも過去のデータに基づく知識であって何が悪い、という考えはないのだろうか。それを未来に適用するのは「あくまでも個人の責任で」ということになる。未来の行動指針が客観的科学知識からは得られないというのは、ある意味当然のことである。温暖化にしても、天気予報にしても、過去の科学的知識から予測することはできても、それが正しいということは誰も保証しない。

別の面から考察すると、科学は人間の動的な知的活動である。或る実験で何らかの因果関係が分かったといっても、それは必ず別の実験でも確認する必要がある。ある意味、確認をし続けなければならない。そういう意味で、哲学者が考える論理学的な因果関係はその場だけで完結する話だが、科学は継続的な活動である。ある時点で不完全であっても、継続的に別の方向からも確認を進めるのが一般的である。過去に基づく知識といっても、その時点で凝り固まっているものではなく、繰り返し検証していくべきものである。その場合、自然の斉一性が成り立つことが前提のようにも見えるが、ある理論の検証は、全く別の背景のもとでもできるはずなので、ある時点で自然が完全に不連続に断絶してしまわなければ、完全に斉一性を前提としなくても、研究活動は継続していることができ、理論の検証も意味のあるものになると考えられる。

10　確率と科学的推論：条件付き確率による解釈

オカーシャの原著第2版では、条件付き確率とそれを使ったベイズ推定によって科学的推論の信頼度が高まることが述べられている。それによると、対象となる事象が起きる頻度を表す客観的な確率と、その事象が起きることに対する信念の度合いを示す主観的な確率が区別される。後者に関しては、得られた情報によって、理論に対する信念が強められるか弱められるかという影響があると考える。これを条件確率の法則に当てはめることにより、事後確率を高めるようなデータを蓄積することで、理論の信頼性が高まると考える。たとえば、一枚引いたトランプのカードがハートの12であることを当てる場合、何も情報がなければ当たる確率は1/52だが、ハートという情報があれば、当たる確率は1/13まで上がる。これはカードの1/4がハートであるので、(1/52)÷(1/4)=1/13として求められる。ここで1/52が事前確率、1/13が事後確率、1/4は条件として与えられる証拠 evidence が成り立つ確率である。事後確率は条件付き確率として求められたことになる。証拠が付け加わることで、推定の信頼度が高まることになる。これは17世紀の確率論開発者トマス・ベイズに始まるベイズの定理の応用である。以上がオカーシャの説明であるが、これを私なりに図示すると図2のようになる。証明すべき仮説Tの最初の信頼度$P(T)$と、証拠eを得た後のTの信頼度$P_{new}(T)$の関係は、証拠eの成り立つ信頼度$P(e)$を使って、$P_{new}(T)=P(T)/P(e)$として表されるが、もっと単純に、考えられる理論集合のサイズの比率として理解できる。

オカーシャは、この問題点として、(1)追加のデータがあっても、対立仮説が否定されたことにはならない、(2)根本的に新しい仮説の誕生を説明できない、(3)理論に対する最初の信念の値を決める客観的な方法がない、などを挙げている。結局、確率ではヒュームの問題には答えられないとされた。

ここで、ポパーの反証可能性を思い起こそう。ある仮説が誤りであることは、反証が得られれば証明できるが、正しいことはいくら証拠が積み上がっても証明されたことにならない。そ

図2　ベイズの定理に基づく、新規証拠による仮説信頼度上昇のベン図による説明

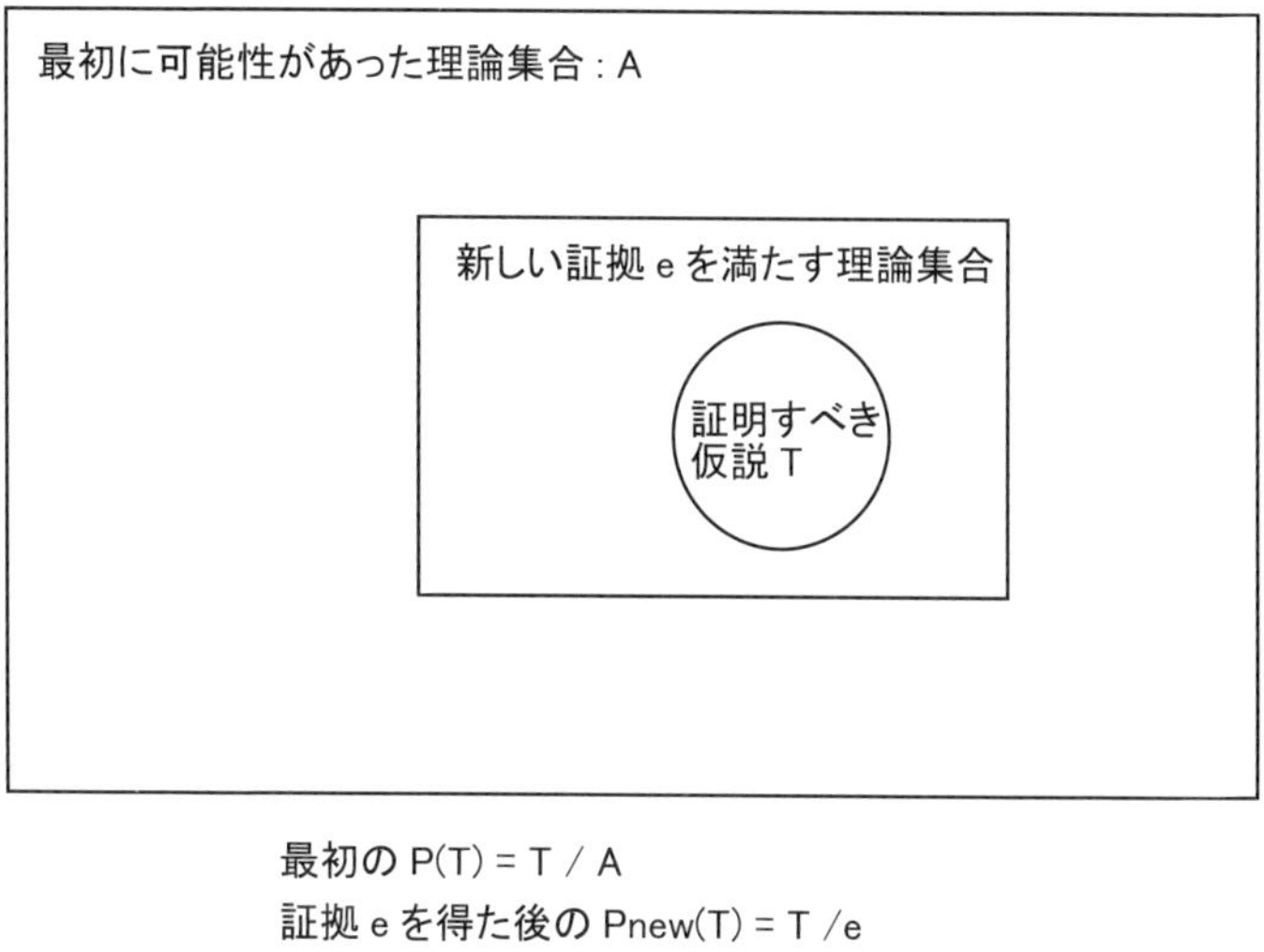

れを確率が上がったと表現したとしても、100%でなければ、証明とは言えない。科学は常にもっともらしい仮説でできていることになる。こうした考えは、私がすでに述べているような、「科学は未来にあるはずの真理に向かって絶えず努力を続けるもの」という見方と整合的であるが、私の考え方が確率論に基づいていなければならないというわけではない。

さらに付け加えておくならば、内容を紹介したオカーシャの教科書での確率概念は、「頻度」か「信念の度合い」のどちらかになっている。ハッキング（Hacking 1975）によれば、確率 probability のもとになる蓋然的 probable と言う言葉が使われたのは、「是認でき

る臆見」（ギリシア哲学では、臆見・ドクサは理性的に導き出されたものではなく、感覚による知識や知覚、あるいは単なる意見を指した。「でたらめ」ではないが、「いい加減」という意味で「適当な」意見を指すと思えばよいだろう）に対してであり、これは、論理的必然性をもつ真理に対立するものであった。また、ヒュームが帰納についての問題を提起できたのも、帰納的証拠という概念がそれ以前にはなかったためであり、蓋然的な臆見と必然的な知識との区別が程度問題になってきたことの結果であるとしている。確率という概念はかなり複雑な内容をもつもので、現在では、さまざまな意味で使われているように思う。たとえば、明日雨が降る確率といって気象情報で紹介される50％や20％という数字は、同じ気象条件が与えられる場合が１００回あったとして、実際に雨になる場合がx回あるだろうというものなのか、指定された地区の$x/100$の地域で雨が降ると想定されるというものなのか、あるいは、予報を出している時間帯の$x/100$の時間だけ雨が降ると推定されるのか、あるいは、予報官が雨が降ると信じる度合いの強さなのか、さまざまな解釈がありうる。おそらく、ヒュームの問題に対して意味のある解答を与えられそうな確率概念は、最後の「信念の度合い」、つまり確率の一番古い意味合いなのではないだろうか。

11　全く別のタイプの科学的推論

　科学哲学では、演繹、帰納、アブダクションくらいしか推論の種類としては挙げられないが、科学の実際の場面を考えると、別のタイプの科学的推論もあるのではないだろうか。たとえば、ガリレオの発見「木星には衛星がある」と「木星は惑星である」という二つの命題から、「或る惑星には衛星がある」（衛星をもつ惑星がある）という命題が導かれる。これは述語論理における「存在汎化」という規則に基づく確実な推論である。そして、得られた結論は「すべての」という形の全称命題ではなく、「或る」という特称命題である。しかし、これは単に木星という個別のことだけを言っているわけではなく、惑星には、衛星（惑星のまわりを回る星のこと）が存在する場合があるという、一般的な命題を述べている。実際、土星にも、もちろん地球にも衛星がある。これまでの科学哲学では、こうした特称命題は扱われていないように思う。しかし、科学の発見は、こういうところから始まるのである。なぜなら、この推論の背景には、「（すべての）惑星は恒星の周りを回っている」という一般命題があり、自身が公転している星自体にまた、そのまわりを周回する星があるのは、新しい発見であった。月は地球の衛星であることはコペルニクスが述べていたが、これは天動説の名残として、地球に特権的な立場を残していたとも言える。ところが、地球以外の惑星にも衛星があったということになると、すべての惑星は同じ立場ということになりかねない。ついでに言うと、この話には拡《ひろ》がりがあり、地球の衛星である月と木星の衛星は、その起源が違うらしい。月は、まだ地球が火の玉だったころに、地球から分離してできたという考え方があるが、木星は衛星と物質組成が大きく異なり、木星の衛星は、もともと太陽のまわりを回っていた小惑星などの天体が木星の引力に捉えられたものと考えられる。こうして、衛星の存在、そして衛星の分類などと、学問は進展していくのである。そのため、最初のきっかけである特称命題は、その後の発見に道を拓くものであった。このような特称命題を生み出す新発見に基づく推論自体は必然的に真である推論であるが、結論はすべての場合を網羅するものではない。ただし、その命題が全称命題となるような対象を指定して新しい分類をすれば、状況は変わる可能性がある。

別の例を考えよう。一般にネコはネズミをとるという背景知識があるときに、「たまはネズミをとらない」「たまはネコである」という二つの命題から、「或るネコはネズミをとらない」（ネズミをとらないネコがいる）という特称命題が得られる。このとき、「たま」というネコがネズミをとらないのには、おそらく理由があるだろうと考えて調べると、たとえば、「たまはいつもおいしいえさを与えられている」とか、「たまは変わり者のネコである」などの理由が挙げられるかもしれない。前者だとすると、最初の背景知識を「いつもまずいえさしか与えられていないネコはネズミをとる」と改めることで、知識が増すことになる。後者だとすると、同じように変わり者のネコが他にもいるかもしれない。それはネコの品種のせいかもしれないし、遺伝的変異のためかもしれない。また、飼育環境のためかもしれない。こうして、変わり者である理由を突き止めていくと、新たな発見につながると考えられる。

科学における推論にはこうした特称命題を生み出す、既知の背景知識と合わない新たな事実の発見に基づくものもあるのである。それをさらに突き詰めていくと、新たな対象の分類や全称命題を立てることも可能になるかもしれない。これを無理矢理「反証」というような枠組みにはめることもできなくはないが、あえてポパーの顔を立てる必要はないだろうし、反証を超えた科学の営みだと思う。

一方で、こうした特称命題は、反証するのが非常に困難である。私が最近実際に研究で扱った問題で説明してみよう（佐藤 2018b）。一般に、真核生物の脂質顆粒は細胞質に存在する。中性脂肪が蓄積していると注意されている人は、脂質顆粒が細胞にたまっているので、自らの問題としても見てほしい。脂質顆粒は、中性脂肪のまわりを薄い膜が包んだ細胞内顆粒である。2011年頃にいくつかの論文が出て、特定の条件で培養したクラミドモナス（緑藻）では、脂質顆粒が葉緑体にも含まれることが発表された（図3）。この特定の条件としては、デンプンを合成できない変異株を使い、窒素源を制限した条件下で、さらに特別に炭素源を過剰に与えられるということなので、あまり一般的な話には見えない。それでも、タンパク質をとらなくてお酒ばかり飲んでいるというような、これに対応する生活をしている人は居そうである。それ以外に、強光条件でなら普通のクラミドモナス（野生株という）でも同様のことが観察されるという研究論文まで現れた。がんがん光合成をすれば、脂肪が蓄積し、葉緑体にも蓄積す

図3　クラミドモナス細胞における脂質顆粒の存在場所に関する論争の説明図

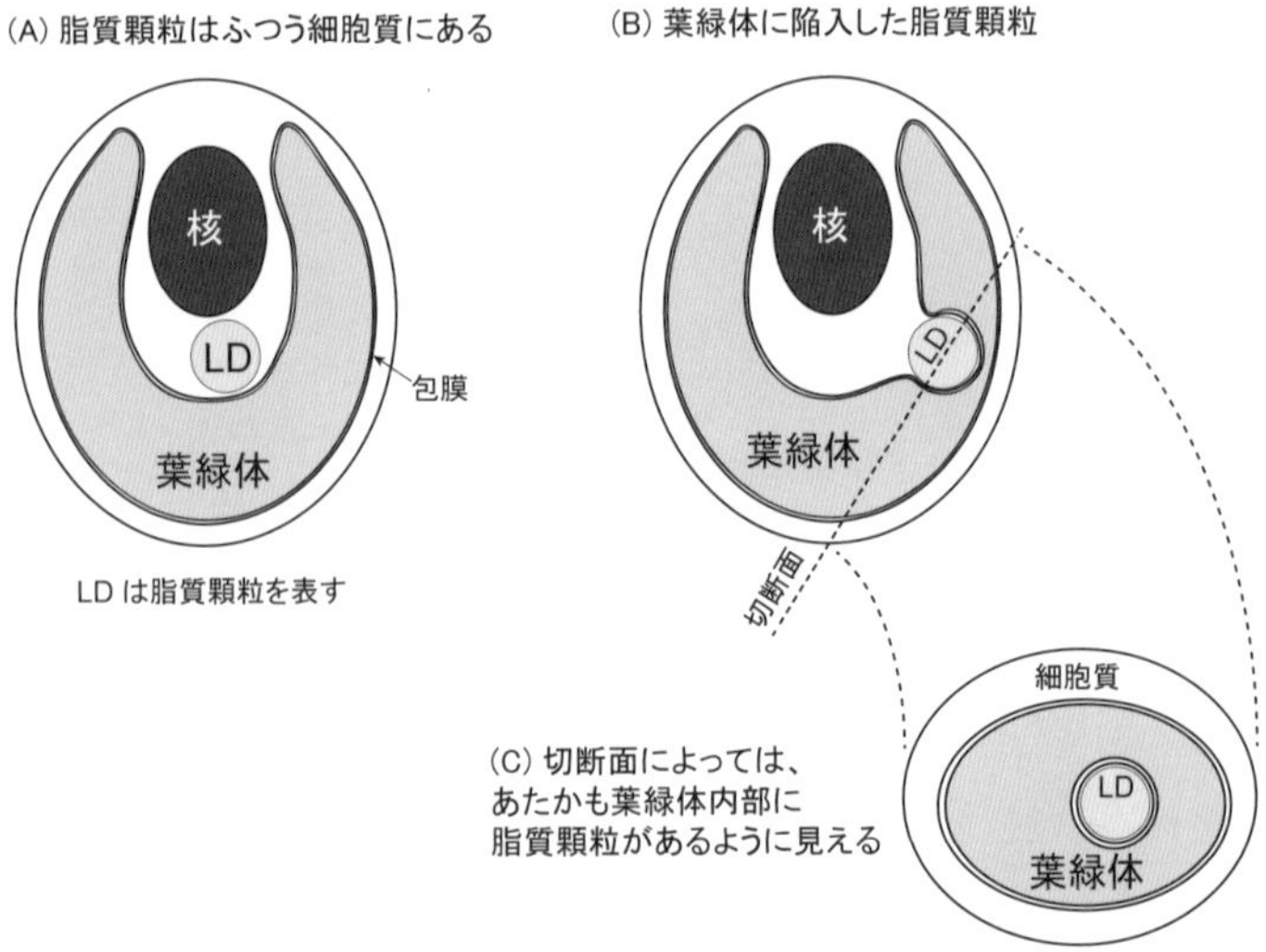

葉緑体に陥入した脂質顆粒は、依然として細胞質（厳密にはサイトゾル）に存在するものの、観察する切断面によっては、葉緑体内部に存在するように見える。三次元的に観察ができれば問題は解決するように思うかもしれないが、完全に葉緑体内部に存在するような脂質顆粒の観察像を得ることは、技術的におそらく非常に難しい。また、それだけの努力（資金・時間・技術・労働力）を費やす価値のある問題であるかも、考える必要がある。一方で、葉緑体内部に存在するように見える脂質顆粒が、必ず二重の包膜に囲まれてしか観察されないとすれば、これは脂質顆粒が細胞質に存在していることの証拠となる。陥入ではなく、完全に葉緑体の内部に取り込まれた脂質顆粒が実際に存在するかは分からないが、そういうものがあったとしても、二重の包膜があるかぎり、脂質顆粒が存在する空間が細胞質であることには変わらない。

るというわけである。それでも、細胞内の顆粒ができるためには、それ相応のしくみがあり、それは真核生物共通のものであるはずなので、細胞質でつくられる顆粒が葉緑体の中にもできるのは不自然であると考える研究者が多かった。しかし、自分で反論データを得るのは難しく、「そういうこともあるかもしれない」というくらいで済まされていた。研究者の世界は意外と紳士的で、むげに人の意見を否定したりしないのである。しかし、この観察からは、「或る光合成生物では、脂質顆粒は葉緑体にも存在する」という特称命題、あるいはもしかすると、「どんな光合成生物でも、可能性としては、脂質顆粒が葉緑体にも存在する」というさらに一般的な命題を導くことになりかねなかった。これは脂質顆粒という細胞内構造のアイデンティティに関わる重大な問題と考えられた。

私たちは、この特称命題を否定することに取り組んだ。しかし、特定の条件でなら成り立つという話を反証するのはきわめて難しい。どれだけ実験条件を論文のものと同じにしてみても、私たちの観察では葉緑体内部に脂質顆粒が存在するという結果は得られなかった。この状況では実験技術が悪くて再現しないのか、何か他に問題があるのか、わからない。実は私たちの観察では、一見、葉緑体の内部にあるかのように見える脂質顆粒がいくつも観察された。しかし、それぞれの脂質顆粒は、自身を囲む薄い膜の外側を、さらに二重の膜で取り囲まれていた。この二重の膜は、葉緑体の表面にある包膜と呼ばれるもので、二重になっていることですぐにそれと分かるものなのだが、観察する角度などによってはきれいに見えないこともあり、これまでの研究者は見落としていたようであった。こうなると、「脂質顆粒が葉緑体内部にあるように見えるのは、葉緑体に大きな陥入ができ、そこに脂質顆粒が入り込んだ状態を、別の角度から見ているためではないか」という解釈が生まれた（図3B・C）。実際、脂質顆粒が葉緑体内部にあるとする従来の研究論文の顕微鏡像をていねいに見ると、どれもこの解釈で理解可能であった。こうして、私たちの考えでは、「脂質顆粒はどのような場合でも葉緑体内部には存在しない」という一般命題（全称命題）が正しいと思われるのだが、それでも、特殊なケースがあるかもしれないので、この命題は永遠に確実なものにはならない。しかし、脂質顆粒をつくるしくみが真核細胞共通のものであるという別の論拠を使うと、私たちの一般命題が論証される可能性は高い。これにも例外はありうるので、１００％正しいとはなかなか言えない。

こうして、特称命題は、ときとして新発見につながるきっかけともなり得るが、ときとして、永遠に反論できない不可思議な命題として永続しかねないものでもある。しかし、このような「どうしようもない命題」を科学的に乗り越えるには、上に述べたような、別の種類の論拠をもってくる必要があり、科学者がその実験技術と英知を結集する必要がある。

12　科学で使われる推論

推論に関する問題をまとめるにあたり、科学は単純な推論だけでできているわけではないことを考えなければならない。経験科学が成立したときから、科学は理論だけではなく、実験や観察に基づくデータから知識を獲得するようになった。それには、演繹だけではなく、帰納やアブダクションが必要である。特にアブダクションの重要性は高く、アブダクションの過程で生成される多数の仮説の一つ一つを実験・観察によって検証していくという作業を経て、妥当な仮説を絞り込む。これが一般に科学的真理として通っているものである。これまでの科学哲学でしばしば演繹と対立して議論された帰納（枚挙的方法）は、科学の成立にはあまり寄与していないように思われる。また、帰納に関するヒュームの問題は、議論領域を限定することにより帰納的推論の使い方を正しくすれば回避されるはずである。しかし、得られた科学的真理となる仮説からさらに演繹されるさまざまな仮説を検証していく過程は、その仮説を得るのに使ったデータの領域（前に「定義域」「議論領域」と表現したもの）から踏み出すことになり、自然の斉一性の疑いの問題は残るかもしれない。しかし、最低限の前提として、斉一性とまで言わなくとも、連続性を仮定すれば、予想に関する多くの問題は回避できると思われる。連続性の成り立たない自然界を考えるのは難しいし、それを否定するならば、科学や学問は成り立たないだろう。いずれにしても、経験科学としての自然科学は、得られたデータをもとに構築するものなので、パーフェクトということはなく、つねに新たな検証を続ける必要があることは間違いない。つねに検証を続けながら、少しずつ未来に向かって進むという科学のあり方、つまり、動的な科学のあり方を科学哲学は真剣に検討する必要がある。

第4章

科学における説明

科学では、何らかの現象について、それが起きる理由を知りたい場合に、説明を与えることがある。科学哲学では、科学における説明とはどのようなものか、どのような説明が正しい説明なのかなどが定番の話題になっている。説明には、実利的目的がある場合と、単に知りたいという場合がある。実利的目的に応えるには、役に立つという要素も加わり、因果関係なども必要になり、話は複雑になる。伝統的な科学哲学における説明モデルは、どちらかといえば、単に知りたいというだけの問題を扱っているように思われる。説明モデルについて、オカーシャの教科書に出ている説明を追っていくが、科学では本当に説明が求められているのか、説明をするのが科学の役割なのかは考える必要があり、これらについては後で検討する。

1　ヘンペルの「説明の被覆法則モデル」

伝統的に「被覆」と訳されている言葉は cover という動詞で、これはむしろ、「このお金で今回の出費がカバーできる」とか、「誰々がユーミンの曲をカバーした」とかいうときの使い方に似ている。むしろ、何らかの一般的自然法則が当てはまる、適用できることを cover と表現している。つまり、「説明の法則適用モデル」である。ヘンペルとオッペンハイムは１９４８年に「説明の論理における研究」と題する論文を発表し、科学における説明を論理的に解明しようとした（Hempel & Oppenheim 1948）。

説明のモデルを考える場合、解くべき問題は、「これは〈なぜ〉かくかくしかじかであるのか」という〈なぜ〉疑問 why-question として提示され、それに対する説明が要求されるというのが彼らの問題設定である。ここで、伝統的な哲学用語では、説明すべき問題を *explanandum*（ラテン語で、「説明する」explanare の動形容詞の中性主格で、「ねばならぬ」の意味をもち、ここでは中性名詞として使われている。ちなみに、ラテン語は素直にローマ字読みをすればよく、エクスプレイナンダムなどと言わないでほしい）と呼び、それに対する説明を *explanans*（ラテン語で、「説明する」の現在分詞の中性主格）と呼ぶ。〈なぜ〉疑問が結論になるような演繹的推論を求めれば、それが説明ということになる。その場合、二つの前提を構成する少なくとも一方が一般法則を含むときに「よい説明」とされた（図４）。

図4　ヘンペルとオッペンハイム(1948)における説明の論理を表す図式

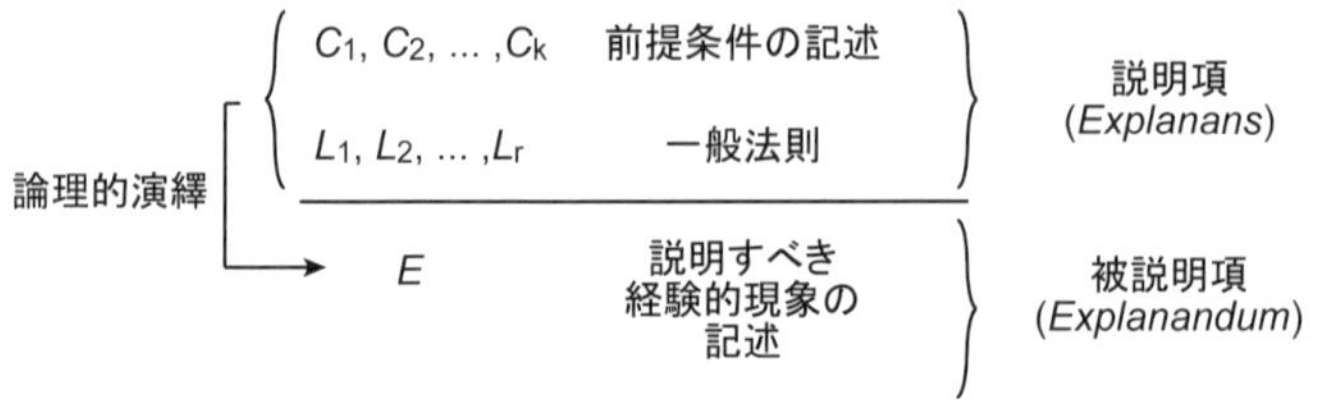

ヘンペルとオッペンハイムが提案した「説明のモデル」

このとき、それぞれの項について、それが適切であることの条件として、以下の四つが挙げられていた。（R1）説明項から被説明項が演繹できること、（R2）説明項には一般法則が含まれること、（R3）説明項には経験的内容（実験や観察の結果）が含まれること、（R4）説明項が真であること。ここで使われている演繹は前件肯定だけではなく、論理的に真となる推論を指しているものと思われる。この場合、説明と予測は表裏一体であり、どんな説明も、C_i（$C_1 \ldots C_k$のどれか）とEを交換することにより設定を変えれば、予測の問題となるとされた。それでも問題点がある。オカーシャは対称性と関連性欠如の二つのケースを挙げている。

（i）対称性の問題

この種の話では、旗竿の高さ（長さ）と太陽の高度（仰角）という前提条件から、光の直進性と三角法を一般法則として使い、影の長さを説明する問題が伝統的に使われる。この場合、逆に、影の長さから旗竿の長さを推定することもできる。

しかし、これは旗竿の長さを説明することにはならない。これが説明の非対称性であり、ヘンペルの「説明の法則適用モデル」ではどちら向きの説明も形式上可能なので、それが問題とされてきた。実際には、旗竿は誰かがその長さに作ったからその長さなのであるという。私から見ると、これは何か問題設定がおかしいようにも思う。もしも旗竿の長さの理由を知りたいのなら、影の長さを測ったりしないからである。逆に、富士山の高さのように、直接測れないものを、三角測量で推定することは普通に行われている。何が未知で何が既知なのかが最初に定義されていないために、このような曖昧性が生まれるのであり、単に対称性ということではないように思われる。

(ii) 関連性欠如の問題

ここで伝統的に「関連性」と訳されている relevance とは、「関連性」というよりは、「適切性」、「その場にふさわしいこと」などの意味である。その反対の irrelevance は、昔のドリフターズがよく使った「およびでない」がぴったりあう。「およびでない」説明をしても駄目なのは当然である。例として挙げられているのは、避妊薬としても使われる薬を何らかの理由で服用している男の人が妊娠しない理由を問うもので、避妊薬が説明にはならないのは当然で、問題設定がさすがに場違いな気がするが、これもこの分野ではよく使われる例のようである。大事なのは、話題としている問題の正しい文脈の中で答えを探すということである。その場合、質問自体の中に、何を答えてほしいかという解答の道筋のようなものが含まれていることになる。試験問題の問題文の書き方から判断して出題意図がわかる学生がよい成績をとるというのと似ている。これを講義で説明したところ、よく分かってもらえる学生とそうでない学生がいた。愚直に問題を解く学生と、ずるがしこく考える学生、いろいろいるようである。現実社会で起きる問題には出題意図があるわけではないので、いわゆる「頭のよい」学生が成功するとは限らない。

ここで、適切性についてもう少し考えると、一般的な科学の議論では、ある要因が原因とされるのであれば、それを取り除いた場合に、注目する現象に変化があるのかどうかを考える。しばしば必要十分条件という言い方もされるが、数学ではないので、それが適切な表現であるかはわからない。上記の例で言えば、避妊薬を説明の理由にもってくるのであれば、その薬を飲んでいないとどうなるのかも考察すべきなのである。そうすれば、今の男の人の問題では、避妊薬の投与の有無が妊娠には関係しないことがわかるので、これが間違った説明であることがはっきりする。このように、科学では、単独の現象に対して通り一遍の説明をするのではなく、多数の実験で裏付けられた説明をするのである。したがって、説明の中で出てくる一つ一つの事柄について、それがなかったらその説明が成り立たないのかを厳密に検討する。対称性の問題でも、影の長さから推定しないと旗竿の高さが求められないのか、それとも、旗竿をつくったときの設計図を見ればわかるのかなど、さまざまな別の可能性を検討しなければならない。科学哲学における議論が、科学の現場を無視したものになっていることが、本当の問題のように思われる。

2　ファン・フラーセンによる実用主義的な説明のモデル

オカーシャの本では詳しく触れられていないが、オランダ出身の科学哲学者ファン・フラーセンは『科学的世界像』(van Fraassen 1980) を著し、説明の語用論 Pragmatics of explanation と題する章において、ヘンペルの説明モデルに代わり、実用主義的 pragmatic な説明のあり方を提案した。彼は、説明を因果律とは別物と考える。「なぜ P であるのか」という問題 Q の形式として、説明されるべき命題を P としたとき、答えとなりうる命題と対比される命題群(対照命題クラス) contrast-class X を考える。答え A は、許容される答えの種類を限定する適切性関係 relevance relation R を満たさなければならない。そのとき、A がよい答えであることを評価する基準は、(i)(知識 K の文脈に基づいたとき)A の確率が高いこと、(ii)K の適切な部分集合 $K(Q)$ が与えられたとき、対照命題クラス X の他のメンバーに比べて、A が P をより強く支持すること、(iii)Q に対する他の答えに比べて A は優れていること。つまり、相対的に良さそうな答えを求めるだけということになる。これはアブダクションによる推論とも近い。

3　説明のモデルへの疑問

それでも、科学者の立場からすると、ヘンペルもフラーセンも物足りないのではないか。これらは形式的には説明かもしれないが、本当の説明はそういうものではないように感じられる。上に述べたこととも重なるが、問題点は次の三つに分けられる。

（i）存在論的な問題と認識論的な問題

影の長さや旗竿の長さについて、それらが観測者とは独立した実在であり、それらには独自の存在理由があるとすると、確かに非対称性の問題が生ずるようになってしまう。一方で、すべては見かけ、あるいは認識の問題だと考えるのなら、非対称性の問題は解消するのではないだろうか。現実には、問題の中には既知の要素と未知の要素があり、既知の要素は実体として確かに存在するが、未知の要素は認識の領域にあるように思われる。

（ii）実体 entity と属性 attribute の対応、予測と推定の区別

長さは属性である。影を実体と言ってよいかわからないが、光の当たらない領域としての影ができる理由と影の長さの理由は関連した問題であり、太陽の光が原因となっている。旗竿という実体が存在する理由と旗竿の長さの理由には（少なくとも直接には）太陽が関係しているとは思えない。太陽の光を持ち出すことは、旗竿の長さの推定には有効だが、旗竿の長さを予測することにはならない。予測はまだ存在しないものについて、または、未知のものについて行うもので、既存のものについて行うものではない。旗竿の存在は、それを作った人や設計図で説明することになり、長さも同じ説明だが、長さの推定ということ自体は可能である。同じようなことは、ゲノム科学でもあって、ヒトゲノムが解読されたときに、ヒトゲノムにある遺伝子の数の予測がいくらと言われたことがあった。しかし、これは予測するものではなく、推定するものである。

ちなみに、講義では、多くの学生諸君から、予測と推定の違いが分からないという質問が寄せられた。予測は、分からない未来のことについてもっともらしい答えを推論すること、推定は、単に、何らかの理由で答えが伏せられているか分からないことについて、答えを推論することである。予測の「予」は「あらかじめ」なので、未来について考えている。多くの学生諸君は、どちらも「想像する」くらいに思っているのかもしれない。

（iii）旗竿と影の問題の設定自体の問題

現実的によく考えてみよう。影の長さと太陽の高度（仰角）は同時に測定できるだろうか。実際に日時計を作ってみるとよくわかるが、影はかなりの速さで移動する。影の長さを測っている間に太陽は移動している。仮に、ある時点で影の先端の地面に印をつけ、そこからの長さと旗竿の仰角を測定したとすると、それは太陽の高度とは呼べない。

さらに現実的な問題を考えると、旗竿を本当に垂直に立てることは難しく、また、曲がっているかもしれない。旗竿の先端の形状はどのようになっていて、影の先端に対応するのは旗竿のどの部分だろうか。先端にも幅があるはずなので、そのどの部分が影の先端に対応するかによって、影の長さを測定する点が変わってくる。

旗竿には自重《じじゅう》があるため、その長さは横にして測ったときよりも縦にしたときの方がわずかに短いはずである。豆腐やプリンで考えればわかる。旗竿の材質はきっとかなり堅いので、実質的にはあまり影響しないかもしれないが、原理的な問題は残る。その場合、旗竿の長さの説明としては、元々の長さと自重、重力で説明することになるが、実際の旗竿の長さは影から推定することになる。つまり、影の長さから旗竿の長さを推定するのは意味のあることとなる。

もっと厳密なことを言うと、地表は平らでない。平らなところで測ったという前提かもしれないが、本当に平らかどうかは測定しなければわからない。また、もしも地球がきれいな球面だとすると、この問題はずっと複雑になる。太陽の高度はどこで測るのか。旗竿の根元か影の先端か。原理的には、測る場所によって、太陽の高度はわずかに異なる。

私はもともと実験科学者なので、こういうディテールが気になる。この問題がどれだけ現実的なものなのかを疑ってしまう。科学哲学では、誰でもわかる例を使って、科学ではなく、論理の部分に集中して議論することが一般的である。そのため、このような問題が使われるのだろう。いかに問題を簡略化していると言っても、多くの科学哲学者がこのような机上の空論で議論していることは残念である。そもそもヘンペルの問題は問題なのだろうか。

百歩譲って、(iii) の問題点は措《お》いておくとして、(ii) を中心として、現実的な説明に必要とされる因果性や還元を考えることになる。

4　因果性による説明モデル

「ある現象の説明とは、何が原因であるかを述べることである」という考え方もあると、オカーシャは述べている。実際には、ヘンペルの法則適用モデルでも因果性モデルでも説明できる場合があるとも述べている。たとえば、質問 Q として「惑星の軌道はなぜ楕円形か」を考えると、二通りの答え方ができる。答え A 1:「万有引力の法則が当てはまる」。これは法則適用モデルによる説明の形である。答え A 2:「万有引力が原因である」。これは因果性による説明の形になるというのだ。

私の疑問としては、万有引力が原因で楕円軌道になるのか、楕円軌道だから万有引力を仮定しなければならないのかが解決されていないと思う。少なくともニュートンは万有引力の原因を説明できていなかった。現在では、物理学の四つの力（電磁力、重力、強い力、弱い力）は、四種類の素粒子（それぞれ、photon, graviton, gluon, weak boson）が媒介していることがわかり、その強さの計算ができる。しかし、その「原因」（なぜ引き合うか、力を媒介できるか）はわからないので、物理学の知識は現実の記述には使えても、因果関係における最初の原因とはならないのではないかという疑問が残る。

オカーシャによれば、因果性による説明モデルは、非対称性を満たすことと、関連性（適切性）を満たすという利点がある。それにもかかわらずヘンペルが法則適用モデルにこだわったのは、実は、ヘンペルが因果性を疑っていたからだという。ヒュームもそうだが、経験主義者は因果関係を虚構 fiction と見なし、説明におけるその役割を認めなかった。ちなみに、多くの若者には虚構という意味が伝わらないようだ。私が中学3年生のときの国語の教科書には「虚と実」（今から調べるとおそらく外山滋比古著だが、出典はわからない）という文章があり、虚構のことを説明していた。たまたま、教育実習生の先生に「虚とはどういう意味ですか」と質問されて、「うそのことです」と答えて、「それは違うでしょう」と言われたことを覚えている。虚構とは、「うそ」ではなく、実在するかどうか分からないが、仮に考えた議論の枠組みを指している。主題にもどると、オカーシャの考えでは、多くの哲学者は、われわれが世界を理解するのに、因果性概念は不可欠と考えており、そのため、ヘンペルの時代に比べて現在では、因果性に基づく科学的説明がより受け入れやすいものとなっているとのことである。

一方で、因果性とは無関係な説明もあることが述べられている。たとえば、理論的な定義がそれであるという。水はH_2Oであるとか、温度は平均運動エネルギーであるとかいうものである。私から見ると、これらはあくまでも定義であって、説明とは言えない。2個の水素原子と1個の酸素原子が結びついて分子を作るということは、量子論から導かれることで、それを、目の前の水と結びつけることで、水はH_2Oであるという言表《げんぴょう》が成立する。しかし、本当は、水分子は見えない。水分子が大量に集まった集合状態の一つが液体の水であり、単なるH_2Oは知覚できない。一方、先に述べられている温度の定義は統計熱力学の理論における温度の定義であり、通常の温度の測り方において、温度を定義したものとは異なる。理論の言い換えということになるので、半ば、説明の要素もある。

5　科学は何でも説明できるのか

科学で何でも理解できるかというと、そうとも限らないのではないか。オカーシャの話は、このように続く。「生命の起源はどうか」などが最初の疑問として提示される。それでも科学が発展すれば、何とか理解できるようになると多くの人は思っている。これに対して、原理的な問題がある。つまり、何かを説明するためには、別の何かを持ち出す必要がある。それを説明するには、さらにまた別のもの……となって、いつまでも繰り返してしまうのではないか、というわけである。私から見ると、こういう話は、前述の「ちゃぶ台返し」的なヒュームの問題と同様、何か胡散臭《うさんくさ》い。そんなことを言うなら、最初から何もできないことになる。私が後で示す科学理論のネットワークモデル（図5）でも、最初と最後は欠けている。それは科学が因果関係の途中しか研究できないからである。

こういう原理的反論は別としても、科学で説明しきれないと思われることはいくつかあると、オカーシャは言う。代表的なものが「意識」である。脳科学がいくら進んでも、心理学は理解できないかもしれない。意識には主観的側面があり、「独特の感じ」がともなう。脳で起きる純粋に物理的・生理学的な出来事から、独特の主観的な「感じ」の体験が生まれるのか。何とか理解できるという考えも出てきたが、これについては、第8章で扱う。

6　説明と還元

ここで還元 reduction というのは、帰着と言った方がよいかもしれない。これまでの、deduction、induction、abduction に次ぐ推論の仲間にも見えるが、還元は推論というよりは、プロセスと言うべきだろう。より高次の現象をより低次のしくみで説明することを指している。昔、実証主義を提唱したフランスの哲学者オーギュスト・コントが『実証哲学講義』(1830-1842) において、学問の序列として、数学、天文学、物理学、化学、生物学、社会学の順を考え、社会学の名称はそのときはじめて作られたと言われている。こうした考え方は、そもそも、ギリシアの哲学者アリストテレスが、物理学に基づいて生物学を考え、さらに形而上学 metaphysics (メタとは「上に」「後に」などの意味) を考えたのにも遡る。重層的な学問の関係は、ウェディングケーキ・モデルで表されることがある (田中・佐藤 2013 参照)。基礎的な学問の上に応用的な学問が積み重なって、学問体系ができていると見なすことは、いまだに一般的に受け入れられている。しかし、学問の名前が別にある以上、ものの考え方に違いがあるのではないだろうか、それとも本質的な違いはないのだろうか。

オカーシャの説明では、高次の科学が低次の科学で説明できない理由として、「多重実現」が挙げられている。同じように見える高次の現象を実現する低次の現象は複数あるというものだ。灰皿にはさまざまな形や材質のものがあることが多重実現の例として挙げられているが、これはあまり適切でない。細胞を作っている物質がさまざまである例も同じである。このあたりのオカーシャの説明では、生物学は高次の現象、物理学は低次の現象を扱うとし、物理学の対象が微細な物質だけのように書かれているが、それは正しくない。複雑系物理学では、多数の粒子などが集まったときに見られる集合的な現象を扱う。物性物理学や統計熱力学なども同じである。物理学者に言わせれば、物理学＝自然科学であり、基本的に自然現象なら何でも対象とする。生物学と物理学の違いは階層性ではなく、対象の設定の仕方にあるというのが私の見方である。

以下、引用文献に基づいて、問題の背景から説明する。

まず、田中・佐藤（2013）による全体的な解説では、還元という内容に三通りの区別、つまり、存在論的、認識論的、方法論的なものがあることが紹介されている。存在論的に見れば、物理現象と生物現象に境はないというのが現在の一般的な見方で、生物現象だけに関わるような生気論は否定されている。問題は認識論的な面であり、還元主義として、物理主義、唯物論、機械論など、非（反）還元主義として、創発主義、全体論、有機体論などがある。これらの対立は、方法論的な面でも同様に考えられる。創発の問題は、あとで実在の階層との関係で扱うことにする。

佐藤（2013）による解説では、生物学における説明には、かつては生気論もあったが、現在では、機械論的なものと創発論的なものがあることがはじめに紹介されている。物質レベルでは生物学の対象と物理学の対象は区別されない。現代の創発論は複雑系物理学に根ざしていて、この点でも、物理学と生物学に違いはない。しかし、物理学が一般的原理に重きをおくのに対して、生物学は個別の現象の説明を求める。生物学における理解は二元論的、つまり、還元論的にも非還元論的にも行われる。後者では生物学的な文脈を考慮することが必要になる。これには、生物学的意義、「裏返し」の因果関係の説明（ある遺伝子が欠損したときに、ある現象が起こらなくなる）、歴史性・記述の重要性、個体性（個体を単位として生物は存在し、2分の1の個体などはない）などが含まれる。生物学的意義は機能を同定することであるが、機能には二通りのものがある（大塚 2007, Doolittle et al. 2014）。一つは選択機能 selected effect function（SE）、つまり、進化における自然選択において有利に働く機能であり、もう一つは因果役割機能 causal role function（CR）、つまり、機械論的なしくみにおける部品の働きとしての機能である。CR機能を主張することは、還元的説明に相当する。多くの場合、実験で分かるのはCR機能であり、SE機能を実証することはかなり難しい。しかし、研究の意義を主張するときには、あたかもSE機能であるかのような言い方をする。その方が発見の生物学的重要性を明確に主張できるからである。この問題については、第7章で現代生物学の歴史における語彙の変遷を紹介する際に再び議論する。

以上、生物学の問題を物理学の問題に還元できるのかという点について述べた。私の意見としては、生物学の現象を説明するのに物理学の知識も利用できるだろうが、生物学における説明は物理学における説明とは本質的に異なるので、単純に生物学を物理学に還元するというような考えは当てはまらないということである。これはおそらく他の学問分野にも当てはまり、さまざまな学問分野をウェディングケーキ・モデルのように積み重ねて、下の階層の知識で上の階層の現象を説明することがある程度は可能だとしても、それは上の階層での本来の問題を解決したことにはならず、上の階層を完全に下の階層に還元することはできない。

7 「説明」という問題設定への疑問

さて、前にも述べたように、私は科学における説明のあり方として、〈なぜ〉疑問から出発するのは正しいのだろうか、という疑問をもつ。実際、ネーゲルは『科学の構造』(Nagel 1961)の中で、さまざまな〈なぜ〉疑問の例を挙げて、必ずしも同じ種類のものではないことを説明している。また、ネーゲルは、説明として、ヘンペルのような演繹的な説明の他に、確率論的な説明、機能的・目的論的な説明、遺伝的説明(物事の由来に基づく説明)を挙げている。つまり、説明を受けた人がどういう説明なら納得するのかは、問題の質にもよるのである。一方で、こうした単なる素人の〈なぜ〉疑問ではなく、科学者がもつ疑問に対して、科学者はどのように答えるのだろうか。

たとえば、科学論文で「なぜこれはこうなのか」というようなことからはじめて、その謎を解くタイプのものがあるかというと、そうした論文にお目にかかることは滅多にないだろう。一般的な科学論文の書き方は、問題の背景を説明し、これまで知られていなかった現象や実体についてその論文で詳しく調べる動機を説明する。そのあとは、現象の解析であれば、さまざまな実験条件のもとでのその現象を記述し、何がその現象を引き起こす要因となっているのかを解き明かす。実体の解析であれば、それを構成する物質を詳しく分析したり、構造を調べる。その上で、発見した要因がその現象において果たす役割を定式化したり、解明された構造によってその実体の機能がどのように理解できるかを定式化する。このような論文構成において、どこに〈なぜ〉疑問やそれに対する「説明」が出てくるだろうか。おそらく、最後の定式化においては〈なぜ〉疑問を装ったような説明の仕方はできるだろう。しかし、それは形式であって、科学研究がその〈なぜ〉疑問を解くために行われたわけではない。最初から「なぜ」という疑問を掲げて、その解答が導ければすばらしいが、普通はそんなことはできない。また、多くの場合、途中の段階を説明するのが普通で、本当に「なぜ」に答えられるような場合は珍しい。いずれにしても、多くの論文では、答えが述べられるようになったときに、あたかも「なぜ」よりも「どのように」の方が普通ではないだろうか。因果関係を説明するにしても、〈なぜ〉疑問に答えるようなスタイルで、研究成果を説明するに過ぎない。少なくとも生物系の論文ではこういう形が普通だと思う。物理系の論文で、頭から〈なぜ〉疑問を解くようなスタイルのものがあるかもしれないが、それも、さまざまな試みの結果として答えの道筋をつけたあとで、形式的にそのような問い方をしているだけではないだろうか。

8　シミュレーションによる説明

さらに別のタイプの説明も考えられる。それは、最近、複雑系物理などで使われるシミュレーションである。コンピュータの能力の向上と、数値計算のためのソフトウエアの開発のおかげで、現在では、微分方程式を立てると、その系における変化をすぐに知ることができる。さらに式を立てられない場合でも、そこに出てくるオブジェクトの間の相互作用を定義することにより、その系で起きる現象を示すことができる。ある意味、コンピュータゲームと同じなのであるが、実験で観察される現象をコンピュータの中で再現できると、分かった気になるものである。

たとえば、細胞の中で起きている現象をモデル化し、それをシミュレーションすることにより、時間的パターンや、空間的パターンの自発的形成を示すことができる。時間的パターンとしては、細胞周期や概日リズム（およそ一日の周期をもって、さまざまな遺伝子発現が変化する）などが、よく研究されている。また、空間的パターンとしては、魚や動物の体表のしま模様や水玉模様の形成が、反応拡散系というモデルで説明されている。また、ノッチとデルタという細胞表面のタンパク質をつくるもともと同じ細胞の集団を置いておくと、自然に、ノッチだけを発現する細胞とデルタだけを発現する細胞に分かれ、市松《いちまつ》模様のパターンができることなども研究されている。生物が自発的に示すこれらのパターンは、生物の「生き物らしさ」の発現としてみることもでき、実験とシミュレーションの両面から研究が行われている。ここに挙げた例は、私も参加して作成した生命科学教科書『演習で学ぶ生命科学』に掲載されているので、関心のある読者は参照していただきたい。

さて、シミュレーションがうまく現象を再現できたとして、そのことは、現象の説明になるのだろうか。シミュレーションでは、その場面に存在する分子や細胞が他の分子や細胞との間でどんな相互作用をするのか、あるいは、分子がどんな速度で合成されるのか、外界からのシグナルがどのように入力されるのかなどの条件を数式で定式化し、さらに、さまざまな変数に適当な数を割り当てることによって、計算を行っている。多くの場合、詳しい数字が問題ではなく、パターンができること自体を問題としているので、適当な数字で計算しても許される。あるいは、どんな範囲の値であれば、パターンができるのかを決めることもでき、それに類似した実験をすれば、やはり、特定の変数を特定の範囲の値にしたときだけ、注目する現象が起きるかもしれない。このように、シミュレーションは予測にも使える可能性がある。

それでも、私も含めて、実際に計算をしてみた研究者がそのモデルを信じているかというと、たまたま考えついたモデルを使い、ある程度の近似を入れて計算した場合に、対象とする現象に似たことが再現できるだけで、モデル自体、改良の可能性はいくらでもあると考えるのが普通だろう。もちろん、モデルを複雑にすれば、いくらでもその現象に近いシミュレーション結果を得ることができるかもしれないが、一般には、できるだけ単純なモデルで、目的の現象を再現できることが良いこととされる。つまり、現象の本質をつかむことが大切だということになる。しかしそれでも問題は残る。周期的なパターンは、基本的には、負のフィードバックがあればつくることができ、その場合、どういう物質がどのレベルで受けるフィードバックかは重要でないことも多い。生物学なら、遺伝子の転写レベルでの調節なのか、翻訳レベルか、さらにタンパク質分解のレベルなのか、さまざまな可能性がある。形の上でパターンを作ることができても、そのモデルが真理であるかどうかは、もっと別の実験的研究の結果によって支持される必要がある。そうした意味では、モデルとシミュレーションは、人に訴える力は大きいかもしれないが、「便利な虚構」という面も強い。第9章で述べる科学研究のプレゼンテーションの問題や、第5章で述べる実在論との関係がある。

9　科学研究のモデル

図5　実体・事象のつながりのネットワークと網目の細分化による知識更新（続く）

(a) 実体における事象のつながりによるネットワーク

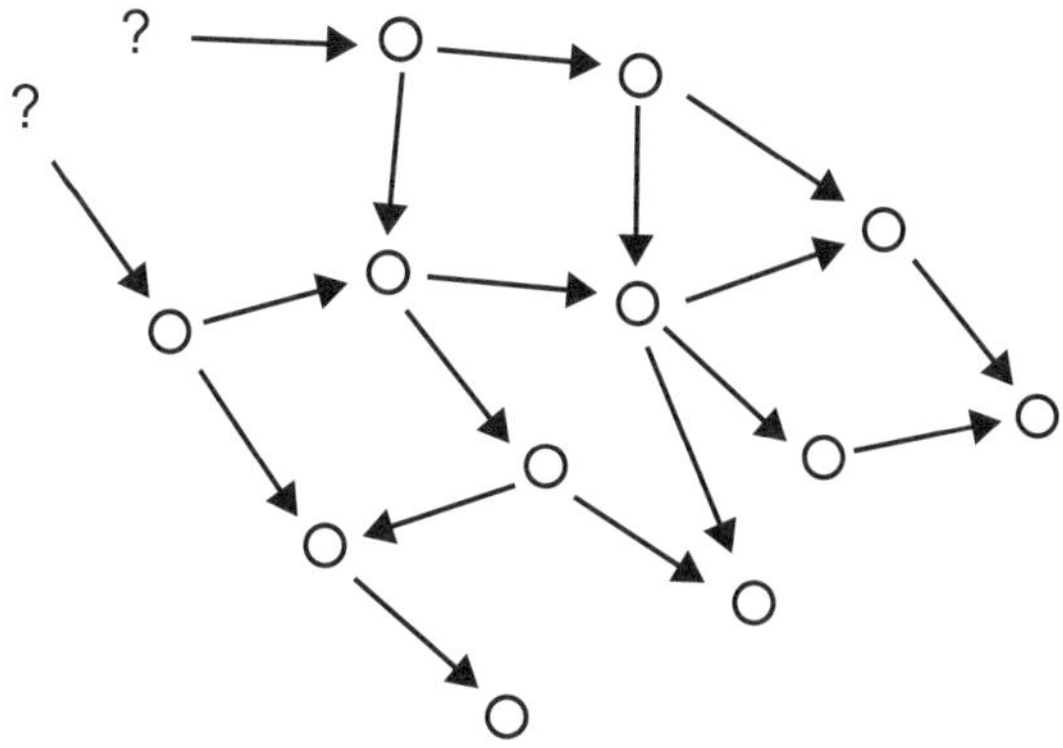

私が考える科学研究の進め方は、〈なぜ〉疑問に真っ向から立ち向かって答えを導き出すようなやり方ではなく、現実の世界にあるさまざまな因果の連鎖の中から、一部を抜き出して、その中間過程を解明するというものである。最初にまず概略を説明しよう。この場合、因果関係にはさまざまな強さがあると思われるので、単に現象の連鎖と考えてもよいし、明確な因果関係や前後関係が分かっている場合もあるだろう。生物学で言えば、生体や細胞を構成しているさまざまな物質の間の相互作用でできたネットワークがある（図5a）。ノード（丸印）は実体の変化による事象（遺伝子発現の変化、受容体からのシグナル発出、イオンの流入など）を表し、エッジ（矢印）は時系列

図5

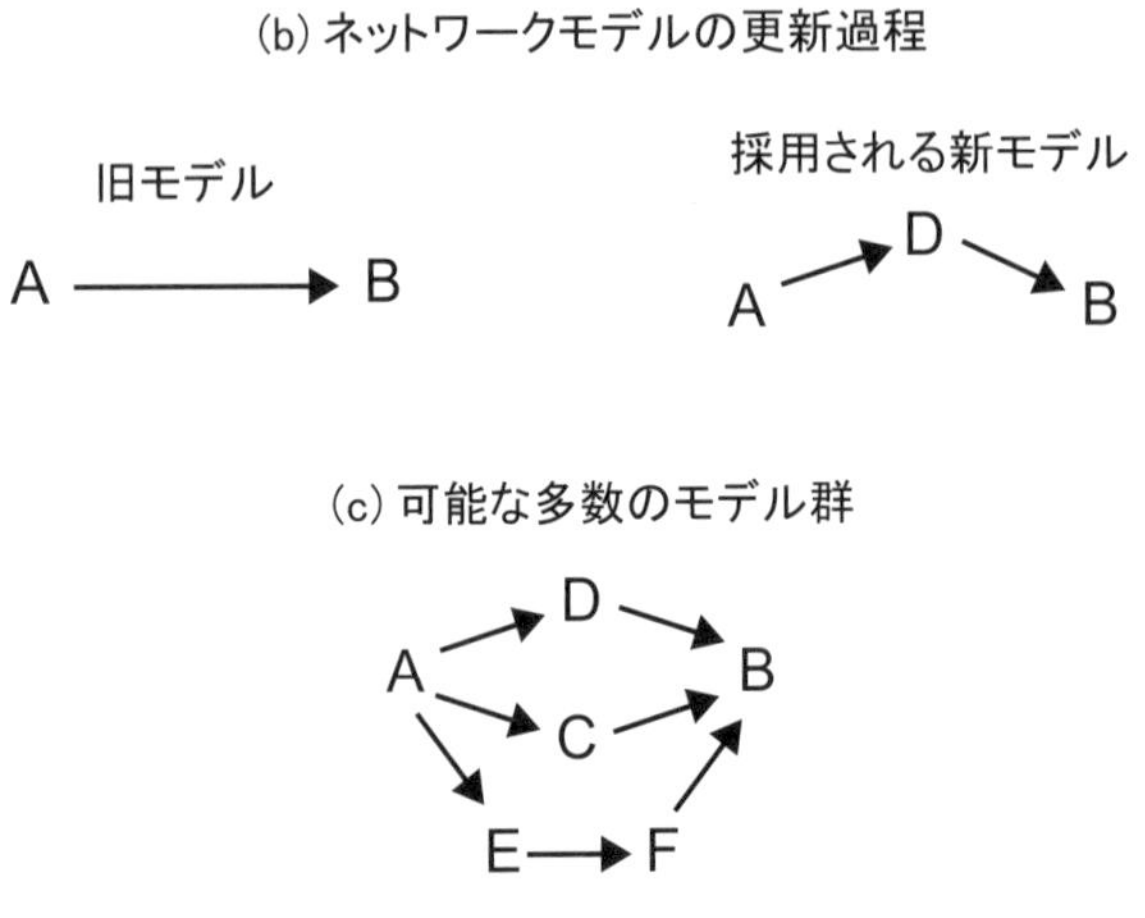

や事象の継起、因果関係を表す。そこには入力として、外部環境や外から与えられた物質もあるだろう。また、出力として、物質の放出や電位の変化、新たな構造の形成などがあるだろう。さまざまな実体に起きる変化や事象が連鎖として結びつけられているのが、現在の生物学の知識であると考える。これはミクロな細胞内の現象でも、人間くらいの大きさの多細胞生物個体でも、また、地球規模の生態系でも当てはめることのできる考え方である。生物学の研究は、こうしたネットワークのうちのどこか一部について、ある事象を引き起こす要因を発見すること、あるいは、ある事象を引き起こす要因が知られていたとして、その中間で起きていること、つまり、その要因が特定の遺伝子の発現を誘導するとか、特定の受容体に結合して、シグナル伝達

図 5

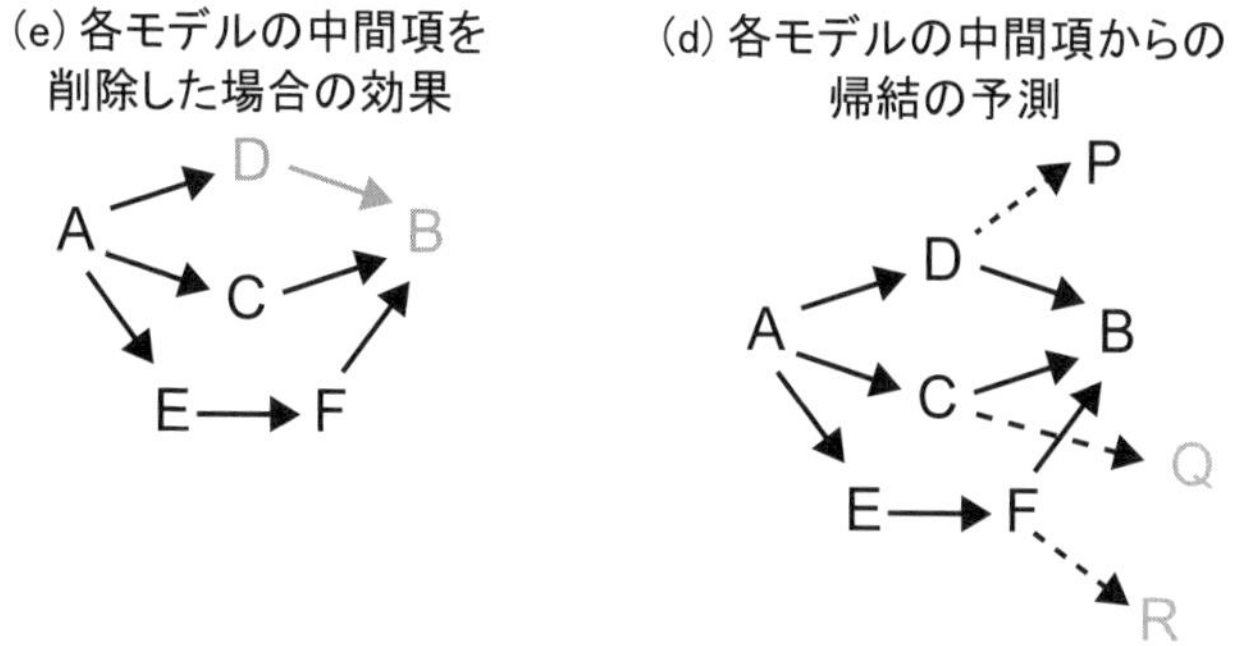

(a) 実体・事象のつながりによるネットワークの模式図。○がノード、矢印がエッジと呼ばれる。ノードは実体の変化による事象（遺伝子発現の変化、受容体からのシグナル発出、イオンの流入など）を表し、エッジは時系列や事象の継起、因果関係を表す。

(b) ネットワークの一つのエッジに中間過程があることを解明してネットワークを更新する際の手続き。二つの事象 A、B をつなぎうるさまざまな事象 C、D、E などを考え、可能なモデル群を生成する（c）。これは知識に基づく想像でも、実験（網羅的遺伝子発現実験など）による提案でもよいが、基本的にはアブダクションである。その場合、A と B を中間項がつなぐ関係を推定する（本来はこれも複数ありうる）。さらにそれら中間項が働いた場合の副産物を想定し、それを検出する努力をする（d）。これは演繹である。あるものは実際に検出され（黒字 P）、あるものは検出されない（灰色 Q、R）。また、中間項の実体を遺伝子操作などで消去するか、中間項の事象が起きない変異体を使うことにより、それぞれの中間項が B に及ぼす影響を評価する（e）。これは裏と呼ばれる論理操作であり、論理学では必ずしも裏は成り立たないが、現実の科学研究の場では、表と裏の両方が成り立たなければ、その因果関係が成り立つとは認められない。もちろん、環境的に働く要因などもあるので、一概に言えないが、その場合には、より細かい論理を考える必要がある。ここでは、D を消去した場合にだけ B が起きなくなるとする。（c）（d）の結果を併せて、A と B の中間で働いているのは D であると結論づける。

系を活性化するとか、これまで外面的には分からなかった内部的な現象の連鎖を解明することが発見と見なされるのである（図５ｂ）。本質的には、網目を作り出すのも網目を細かくするのも同じことで、あるノードに入り込むエッジ（矢印）を追加することである。物理学では少し違っているかもしれないが、それでも複数の事象の間をつなぐ法則性や規則性を見い出すのが新たな発見であるとすれば、ノードとエッジの解釈を多少変えれば、ある程度の共通性はあるだろう。

この過程を非常に簡単なモデルで表すならば、ネットワークの網目をほぐしてその間に別の網目を挿入するとか、新たな網目を挿入するとかいうような作業になぞらえることができる。その場合、アブダクションによって、可能なさまざまな中間項を想定し（図５ｃ）、それらから演繹されるさまざまな帰結を推定する。その上で、それぞれの帰結を検証する（図５ｄ）。あるいは、中間項を一つ一つ消去するなり機能停止させるなりして、その影響を調べる（図５ｅ）。こうした積み重ねによって、どの仮説を採用するかを決定するのである。

10　もう少し詳しい科学研究の多層モデル

今のネットワークモデルは抽象的なので、具体的に何がノードで何がエッジなのかという疑問があるに違いない。もう少し詳しく考えよう。遺伝子発現ネットワークでは、ノードは遺伝子、エッジは発現を表すことが多い。しかし、現実には、遺伝子の発現自体が複雑な過程であるし、遺伝子と遺伝子産物も別の実体である。一方で、物理学でネットワークモデルを考えるときには、ノードは物質（分子）で、エッジは相互作用（力）であろう。この方がずっと分かりやすい。その場合、もう少し考えると、エッジが表すのは相互作用を起こす原理や法則が具現化したものということになる。抽象的な法則が実際に適用される場面を指して、インスタンス化（例化）と呼ぶことにする。この言葉は図らずも、コンピュータのオブジェクト志向プログラミングで使われる用語でもある。つまり、一般的な空っぽの対象としてつくっておいたオブジェクトを具体的な部品として利用することを指す。あまりコンピュータに引きずられてもいけないが、オブジェクトや関数を法則と考えれば、ノードで表される対象にその法則が適用されることで、次のノードにつながることになる。

実は同様のことは生物学の対象でも考えられる。先に述べたネットワークモデルでは、ノードは事象を表し、エッジは継起関係（因果関係、前後関係）を表すとした。その場合、図6aに示すように、事象には中身があり、*A*という遺伝子の発現であれば、*A*遺伝子の上流部にある転写調節領域に転写因子Xが結合し、それによってRNAポリメラーゼ（RNAP）が働いて、転写が起き、mRNAがつくられる。さらに、このmRNAがリボソームと結合して、翻訳が起き、産物であるAタンパク質がつくられる。こうしたことを明示的に書くと、ネット

図６　多層的なネットワークによる生物現象理解の概念図（続く）

(a) ネットワークの一部分を表す

詳細なしくみの階層性

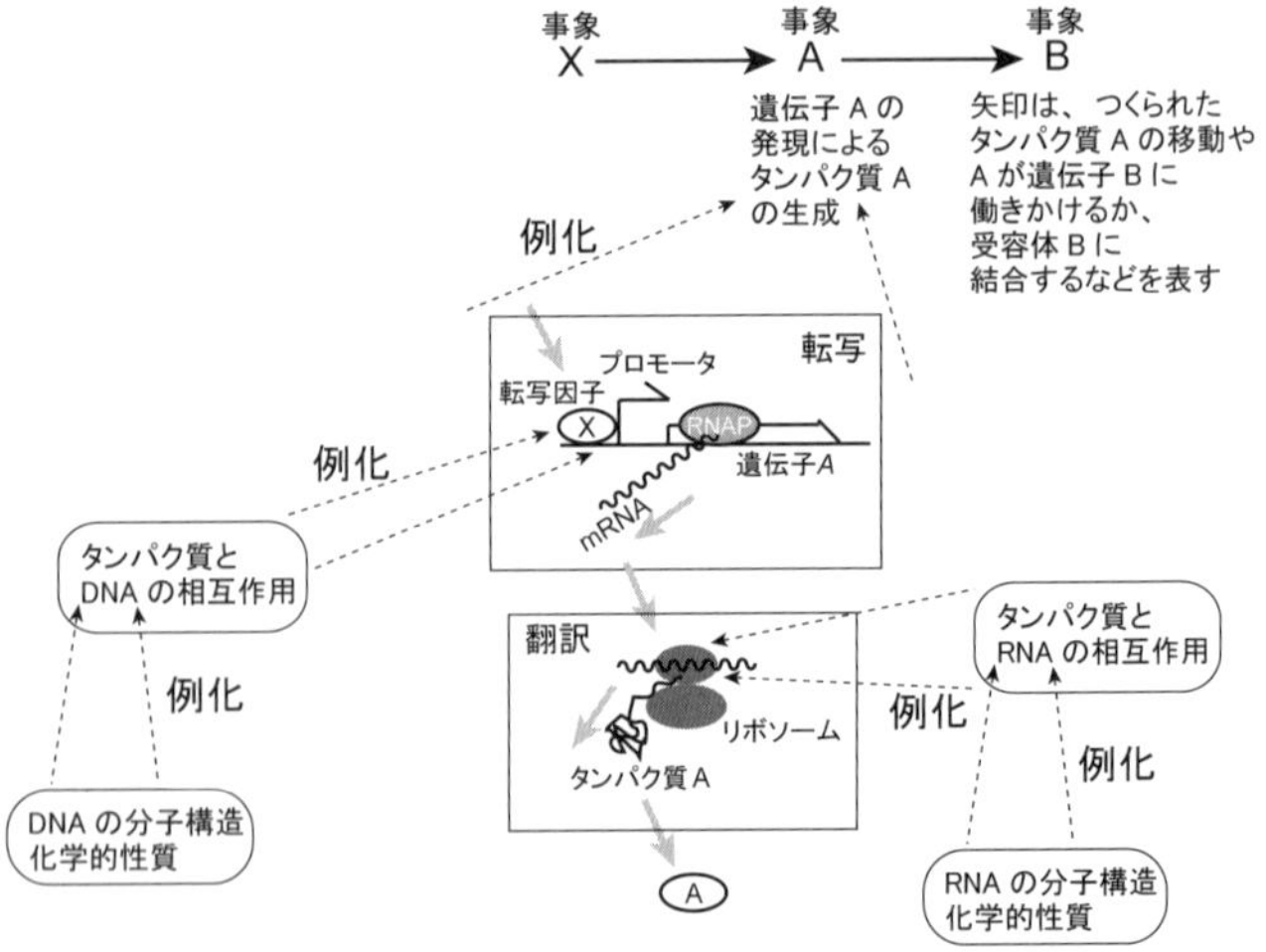

図６

(b) 階層的なネットワーク

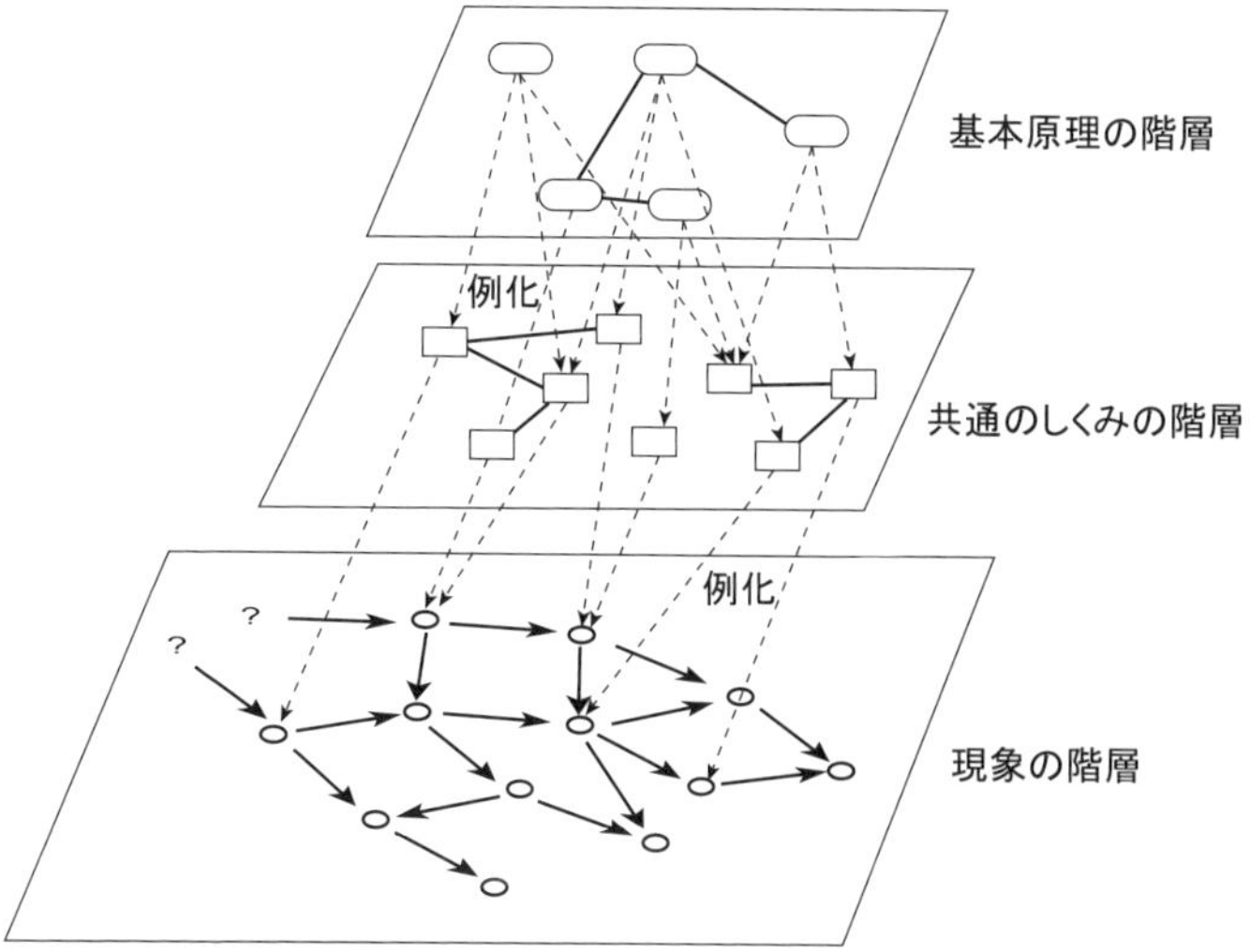

(a) 図５に示す現象のネットワークを構成するノードとエッジの具体的な内容は別階層における共通のしくみの例化として理解される。作図の都合上、第二の階層は (a) では現象のネットワーク図の下に示し、第三の階層はその横に示した。第二、第三の階層においては、それぞれのノードは基本的に独立だが、関連があってつながっているノードもあると考えられる。
ここでは分子生物学を例として説明しているが、物理学や化学でも、法則を含む第二階層、さらに基本原理の第三階層などを考えると、同じような階層ネットワークモデルが考えられる。マクロな生態学の場合も、具体的な生態系の事象の階層、個体群の性質を表す階層、個体の性質を示す階層、個体群動態の法則を表す階層などにより、同様の階層モデルが考えられ、個体の性質を示す階層の先には、分子生物学の階層をもってくることができる。
(b) 階層的なネットワークの概念図。便宜上、上位の階層は２段までにしたが、(a) のように、基本原理の階層をさらに二つに分けて、物質そのものの階層とその相互作用のしくみの階層に分離して考えることもできる。それぞれ、基本的なしくみが具体的な事象に例化されており、さらに、基本原理が基本的なしくみへと例化されている。

ワークモデルはこうしたさまざまな遺伝子に共通の事柄で埋め尽くされてしまい、肝心の知りたいことが分からなくなってしまう。そこで考えるのは、転写や翻訳というしくみは、いわば法則として扱い、別の階層で理解されると考える。ネットワーク自体に階層性を考えるのである。その階層は、分子生物学や生化学における共通知識を含んでいて、その共通知識を個々の遺伝子やタンパク質に「例化」することによって、それぞれの事象を表現するのである。このようにして、一つのノードがもつ複雑ではあるが共通的なしくみを、別の階層から投影（例化）することにすると、もともとの現象を表すネットワークをすっきりとさせることができる（図6b）。いわば、コンピュータのプログラミングで、共通的な事項をサブルーチンや関数、オブジェクトとして定義するのと同等である。このように考えることにより、生物学でも物理学でも、基本的には共通したネットワークモデルを想定することができる。物理学でもそうであるように、生物学でも、きわめて重要な共通事項の発見は大きな影響があり、それによって、新たなネットワークが多数つくられる可能性がある。したがって、先に述べたネットワークの網の目を一つ一つ細かくしていく作業としての科学研究には、少しだけ別のものが加わり、上位階層にある共通のしくみや法則の生成というのも、別の種類の網の目の細分化として捉えるのがよいと考えられる。おそらく、この第二の階層にあるものごとは、教科書に出てくる基本的なものごとであり、それらの間でも網目構造をもっているに違いない。また、転写のしくみや翻訳のしくみには、タンパク質やＲＮＡやＤＮＡの基本的な性質や相互作用の仕方などの基本原理が投影（例化）していて、基本原理群は第三の階層を形成しているであろう。考えようによっては、こうした階層はさらに多層構造で、生物学の多層階層の先には物理学の法則の階層が来ることもあり得るだろう。そうすると、説明の還元の問題も、すっきりと理解できるようになりそうである。

一方で、現象の階層の部分ネットワークを取り出して現実の問題に当てはめれば、それが応用ということになる。科学技術と呼ばれるものは、こうした部分ネットワークを切り貼りして作られるのではないかと思う。その技術に「科学」が冠されるのは、もとのネットワークが科学で得られるものであり、その上にある階層に科学法則が含まれるからであろう。こうして、科学と技術の間にも橋渡しができそうである。これについては第9章で扱う（図16）。

11　科学的説明に関するまとめ

つまり、科学研究は、〈なぜ〉疑問に答える説明をするのが役割ではなく、人間が自然界を見る際の網目を少しでも細かくしていくことなのである。ではなぜ、科学哲学では〈なぜ〉疑問ばかり議論されてきたのか、それは一般人に説明しやすいからだったのかもしれない。現在の生物学の哲学では、生物学の成果の示し方として、メカニズムの提示による説明を考える研究者もいる（Machamar et al. 2000）。ここでメカニズムというのは、ある活性をもった実体の集まりの間で、その活性によるつながりのネットワークができているようすを図示したものを指している。この引用論文には、神経シナプスにおけるシグナル伝達の機序がたくさんの分子とその相互作用によって、図示されたものが引用されており、こうした物質と矢印でできたスキームがメカニズムであるという。生物学の論文ではよく結論の図として示されるものである。その場合、実体と実体を結ぶ矢印が因果関係を表すとまで厳格に考えず、緩い時系列を示すという程度で考えるようである。私が上に述べた網目を細かくするモデルと似た考え方かもしれないが、私は、「網目を細かくする」プロセスそのものが科学研究の活動であると考える。できあがったモデルを示すことではない。科学哲学における議論はいつも、すでに分かっている論理関係や事実関係を前提として、それをどう説明するかという技術論に陥っている。科学という営みは、あくまでも少しずつでも修正しながら進む活動と考えるべきである。

第5章 実在論と反実在論

1 科学における実在論と反実在論
2 奇跡などないという議論
3 観察可能なものと観察できないものの区別
4 十分に決定できないという議論
5 実在の階層性と創発
6 「徐々に獲得される知識」という科学のあり方から見た実在の問題

この章のテーマは科学の実際の研究とはほぼ関係ないが、哲学の側からは科学知識の本質を問う重要なテーマである。かなり難しい話なので、オカーシャに従って、まず問題の所在から説明する。実在論 realism では、人間が考えたり知覚することとは独立に物理的な世界が存在すると考える。観念論 idealism はこれを否定する。つまり、物理的世界は、何らかの形で人間の意識活動に依存していると主張する。間違いやすいが、プラトンはイデアを説明するために、『国家』において、洞窟の比喩で影絵を使って説明したが、この場合のイデアは、ものの本質・真理としてのイデアが、影という似姿をとって表れる。この場合、イデアはむしろ実在に近く、この考えは観念実在論とも呼ばれる。一方で、観念論では観念（イデア）と実在を区別する。唯心論も idealism の訳語だが、文脈によってそれぞれ使い分けられている。こうした形而上学的な論争とは別に、科学論の問題として、実在論に対する反実在論 anti-realism や道具主義 instrumentalism がある。細かく分けると操作主義や構成的経験主義などもある（森田 2010）。一方で、芸術にもリアリズム realism はあるが、科学哲学における使い方とは異なる。

1　科学における実在論と反実在論

この名前の節はオカーシャの『科学哲学』第2版では大幅に書き換えられているので、その記述を紹介しておこう。

実在論者は、世界の真の記述を提供することが科学の目的であり、しばしばこれが成功していると考える。そのため、よい科学理論は世界をあるがままに記述する理論ということになる。反実在論者は、経験的に適切な理論を見い出すことが科学の目的であると考える。つまり、実験結果や観察を正しく予測する理論である。もしもある理論が経験的に完全に適切なものを実現したならば、その理論が記述することが真実であるかどうかという問題は余計なものであると考えられる。実際に、こうした疑問には意味がないと考える反実在論者もいる。（p.55，筆者訳）

物理学における両論の対立を見てみると、電子やクォークなど、日常の事物とは異なる世界の理解に関わっている。

> 実在論者は、物理学の理論が原子よりも小さな世界を記述しようとしており、それが成功しているかどうかは、物理学者が世界について述べることが真実であるかどうかにかかっていると考える。非実在論者の意見では、科学理論の真の目的は真実を求めることではなく、経験的な妥当性を得ることである。物理学者が観察できない実体について語ることもあるが、それは、観察できる現象を予測するのを助けるための単に便利な虚構である。(p.55, 強調は第2版)

例として気体分子運動論が挙げられている。分子は目に見えないが、分子運動を考えることで実際の気体の挙動を正しく記述できるので、便利な虚構と考えるのが道具主義の立場である。

> 反実在論を考える一つの理由は、実在のうちの観察できない部分についての知識を得ることが実際にはできないという信念である。それは人知を超えている。この悲観論は経験主義という哲学的学説に根ざしており、それによれば、人間の知識は、経験することが原理的に可能なものに限られているというのである。(p.56)

第2版で追加されたもう一つのタイプの反実在論では、科学で使われるモデルは、字義通りにとれば明らかな誤りを含むことがあるが、それでも説明力をもつことがあることを例として挙げている。こうしたモデルそれ自体は真実ではなく、経験的に使えるだけである。それに対して、実在論の立場からは、モデルは詳細な数字が合わなくても、全体的な挙動が説明できればよく、近似的に正しければよいと考える。これはすでに、シミュレーションによる説明でも論じた。

2　奇跡などないという議論

オカーシャの『科学哲学』の翻訳書では「奇跡論法」と訳され、多くの科学哲学の本でも伝統的にこの言葉を用いているが、科学による説明が経験的に成功している以上、科学理論は「奇跡ではない」、つまり、そこで存在が認められているものは「便利な虚構」などではなく、その実在は疑えないという議論である。しかしこれはアブダクションでしかない。実は、過去に経験的に成功したと思われた科学理論でも、後に誤りであることがわかったものは数多くあることが述べられている。代表格は「フロギストン」と「エーテル」である。フロギストンは物質の燃焼を説明するために導入された元素のようなもので、燃焼に伴って物質から失われるとされた。ラボアジエが燃焼を酸素との結合と証明したことで、フロギストンは誤った概念の烙印を押された。エーテルはジエチルエーテルのことではなく、電磁力を伝える媒体として想定され、空間内に満ちていると考えられたが、その後の電磁気学の研究では、エーテルの存在は否定され、電磁場を考えればよくなった。こうした例を考えると、「奇跡などないという議論」は早とちりということになると、オカーシャはまとめている。

ごく最近の例を私が探してみると、陽子（水素原子核）の半径がいままでより小さいことが分かったという報告もある。もとは 0.88 fm（フェムトメートル 10^{-15} m）だったものが、0.83 fm になった（Xiong et al. 2019）。これは誤りの例とは言えないが、この値をもとにした計算結果には大きな影響を与えることもあるに違いないので、ここに引用した。いずれにしても、科学知識はまだまだ変わっていくことがわかる。

そこで、反実在論の立場からは、不可知論 agnosticism の方が正しいのではないかという疑念が出てくる。もともと真実は分からないということだ。それを回避する一案は、観察できないものについての科学理論は近似的に正しいとすることをオカーシャは紹介している。私から見ると、これはごまかしでしかないように思える。つまり、科学理論は厳密な整合性の上に築かれているので、近似的に正しいということはあり得ない。オカーシャもこの議論には疑問を呈しており、仮想的なエーテルの振動に基づいてフレネルがつくった光の理論は、光の挙動を説明できたが、エーテルの存在は否定された。これは近似的にすら真とは言えない例であるという。

ただ、これに関しては逆の言い方もできて、光の波動性は媒質が何であるかとは関係なく成り立ち、その意味では空虚な媒質でも構わない。結局はこれが場の理論や後の量子論の波動関数につながっているはずなので、エーテル自体も科学史的には有益なものだったとも考えられる。波動関数自体も何の波動であるかは不明で、しかし、波動関数の絶対値の二乗が粒子の存在確率になると説明されているだけである。科学哲学では、波動関数の実在性も問題とされている。このことが示すのは、物理学で使われる式は、その支持基盤となる実体が何であっても成り立つということであり、これは、哲学者も含め多くの人々が理解していない点である。つまり、物理学の数式で何かが説明できても、そこで仮定されている実体の実在を証明したことにはならないというのが私の見解である。

フロギストンについても私の解釈を示すならば、フロギストンはマイナスの酸素と見なすことができる。そもそも、フロギストンにせよ酸素にせよ、何らかの「元素」が結合したり離れたりすることによって燃焼という化学反応を説明するというやり方自体が、当時は新しかったのであり、その際にフロギストンが失われると考えるか、酸素が結合すると考えるのかは、もともと同等であったはずである。その後、正の質量がある実体として、酸素が元素として認められたのであり、科学の発展は二段階で進んだと考えられる。フロギストンを誤りと見なすのは、酸素の役割を提唱したラボアジエの立場であり、後のわれわれの立場ではないと思う。中世を暗黒の時代としたルネサンスの学者たちなど、「改革者」は直前のものを全否定することで自身の立場を確立してきたのではないか。現代でも、前任者を全否定する為政者がいる国もあるので、よく分かると思う。この点は、第7章でも述べる。

3　観察可能なものと観察できないものの区別

オカーシャは、観察可能なものと観察できないものの区別自体が曖昧であると述べている。つまり、観察 observation と検知／検出 detection は異なる。霧箱《きりばこ》を使えば電子が通ったことはわかるが、それによって電子が見えたことにはならない。私に言わせれば、そもそも人間が眼でものを見ているのも、光を介して「見ているような印象」をもつだけで、そこにある実在を直接把握しているわけではない。五感のいずれも、結局は神経伝達を介して「感じているつもり」になっているだけかもしれないので、あくまでも「検知」をしているに過ぎない。自然科学の論文でも detect はよく使われる。実際に対象そのものを見ているわけではないことの表現である。何かが「ある」と断定するのも難しいことはあるが、特定の物質が「ない」という表現はできなくて、検出できない not detected としか言えない。これは原発事故後の放射能の有無や、症状が出始めてもウイルスが検出できない話などで問題になった。放射能の場合、検出限界以下のものは「ない」という他ないが、一般人はそれでは安心できなかった。そもそもどんな物質でも完全にゼロということは非常に難しいが、実害がない程度であれば、「ない」という表現で構わないことになる。逆に、ウイルスの場合、検出できなくても、実際には体内にウイルスがわずかにいる場合があり、検査は非常に難しい。その意味では、新型コロナウイルスに関して、たくさんの検査を行うことで活動制限を緩和できるという発想には問題がある。なぜなら、ウイルスに関しては、陽性は確実だが、陰性はゼロという意味ではないからである。わずかでも検出から逃れた偽陰性の人が、感染を拡大させる可能性はある。

実際の科学の場面で考えてみよう。生物学の論文で出てくる細胞や組織の写真は、ほとんどの場合、実体を見たものではない。生物学の分野で必ず使われる蛍光顕微鏡の場合、プローブ（探針）となる蛍光色素を、調べたい対象（多くはタンパク質）に結合させ、励起光のもとで蛍光色素から出る光を検出している。あるいは、生物材料の電子顕微鏡観察では、付着させた重原子によって電子線が散乱されたことでできる像（イメージ）を見て、もとのものはこうだろうと考えているだけで、生物そのものの材質を観察しているのではない。遺伝子を使った実験でも、その遺伝子が働いていれば細胞が生えてくるという実験系をつくり、シャーレの上のコロニーを見せることにより、目的の遺伝子の働きを可視化している。「見えるものしか信じない」という生物研究者も多いが、見えるとはどういうことなのかを考えると、話は簡単でない。化学では、検出機器を駆使して、目的の対象物質の性質や存在を検知するのであるが、検出された信号を対象物の存在とほぼ同等と考えて研究している。これらの場合、実体と検出手段が分離されているので、基本的には、話は明確である。哲学的問題があるとすれば物理学で、素粒子や場は、直接存在を把握するのが難しく、理論の体系との絡みで考えるため、ここで述べられている実在／非実在の議論の対象になる。検出器で捉えられるものが一体何を表しているのかは、その測定に意味を与える理論に依存している。つまり、これは理論を前提とした物質の存在なので、電子や素粒子自体が存在するかということだけを切り離して議論すべきではない。

オカーシャの本では、化石の実在性は間違いないと実在論者も反実在論者も認めているようなことが書かれている。科学史を正しく理解すればそんな話にはならない。もともと、化石の正体は謎であったが、レオナルド・ダ・ビンチやフラカストロなどの努力により、化石は過去に生きていた生物の遺骸《いがい》と明らかにされたのだそうである（Morange 2016）。フランスが世界に覇権をとなえ、世界中から貴重なものを収集した時代、パリ自然史博物館でラマルクやキュヴィエが化石を詳しく研究したことにより、はじめて古生物学という学問分野が誕生し、これが後の進化論の誕生にもつながるのである。そういう意味では、化石という概念自体、古生物学という理論に依存していて、第7章で述べる「理論負荷性」をもっていたのである。その場合、確かに、目の前にある物体としての化石の実在性は誰も疑わないが、それが過去の生物遺骸であることは自明ではないのである。奇妙な模様のついた石と考えても不思議はない。つまり「化石」という概念を否定する反実在論者がいてもおかしくないと、科学哲学の立場からは述べるべきだと私は思う。さらに言えば、人類の起源との関係では、ホモ・サピエンスではない人類の祖先の骨をどう捉えるかということも、化石と同じ問題を含んでいる。この場合も、出てきた骨をどう捉えるのか、現存人類の祖先と見るのか、単に人間もどきのサルの骨とみるのか、理論に依存した考え方になる。

オカーシャは、構成的経験主義を唱えるフラーセンの考えを引用して、観察可能／観察不能の境界線を引くのは難しく、曖昧・恣意的であると述べつつ、「観察できない実在についての知識がなぜ不可能なのかと言うことについての説明がまだ足りない」(p.66) と反実在論者に問いかけている。

私自身は、上述のように、観察可能という概念自体が曖昧なものなので、観察可能ということ自体によって、ものの実在が証明されるものではないと思う。その意味では、オカーシャの本における実在論と反実在論の扱いが観察可能性に収斂《しゅうれん》しているのは適切ではないだろう。逆にその程度の実在としてなら、素粒子などの実在も認めてよいと思われる。

4　十分に決定できないという議論

実験データによって科学理論を証明するという立場では、それによって見えない対象の実在も証明できるが、これを疑う立場からは、同じデータを説明する理論はいくらもあるはずなので、一つの理論を十分に決定できないという決定不全性が提起される。しかし現実には、他の理論と整合性を保ちながら、特定の現象を説明する理論が複数存在するということは滅多にない。オカーシャも「データに適合するたった一つの理論すら見つけるのは難しいのが普通だ」(p.68) と述べている。そうはいっても、この問題は原理的なものなので、簡単に否定はできない。多くの科学知識がアブダクションで得られる以上、一つのものの説明が何通りもありうるのは当然で、一般にはそのどれであるかがいったんは決着しているはずなのだが、それでも、疑えばいくらでも疑えるということであろう。

これに対する実在論からの反論は、オカーシャによれば、反実在論者が観察できないものの場合だけに決定不全性を使っているというものである。つまり、観察可能なものでも同じことが言えるので、観察不能なものだけについて実在性を疑う根拠にはならない。観察可能でも、実際に観察されていないことは多く、それも疑うのかという問題がある。この「見えるものでも疑えばきりがない」話は、前に述べた「データに基づいて理論を帰納することへの疑い」と同様に、際限のない疑いとなってしまう。

5　実在の階層性と創発

ミクロからマクロまで、実在の階層について考えてみよう。オカーシャの『科学哲学』では、この問題を、物理学と高次の科学との対象の扱い方の違いの中で暗黙のうちに扱っていたが、前にも述べたように、物理学や化学と生物学・心理学・社会科学とで対象の大きさは問題ではない。下位の階層での事象によって、上位の階層の事象を説明することが、還元的説明であった。それができない場合、上位の階層での事象は創発と見なされる。現在、物質科学や生物学の大部分の現象に関しては、還元的説明ができると考えられている。しかし、昔は物理学と化学との関係ですら、創発を考えたのである。マラテールの『生命起源論の科学哲学』では「水の透明性」の例が説明されている（Malaterre 2010, 訳書第5章 p.134 以降、第6章 p.155 以降、第7章 p.200 以降）。著者のマラテールは、実用主義的な創発という概念に基づいて、水の透明性は創発的な性質ではないと結論していく。

まず、ブロードによる創発の定義が述べられている。A、B、Cなどの成分が特定の関係をもってできている集合Rが、成分単独で示す性質や、同じ成分が別の特定の関係をもってできている集合R'とは異なる性質をもち、この性質がそれら成分の性質、あるいは階層に依存しない法則などから演繹できないときに創発と考える。ブロードの時代（引用された著書は１９２５年）には、水がもつ性質の一つである透明性は、単独の酸素や水素の性質からは演繹できない性質、つまり創発的な性質と見なされた。マラテールの実用主義的創発の論理はさらに込み入っているが、証明すべき命題を、適切性関係の制約の下で、対照となる命題クラスとの対比において、還元的に説明できないときに創発と考える。前に述べたファン・フラーセンの実用主義的説明が下敷きとなっている。ごく簡単にまとめるならば、対照となる命題クラスや適切性関係の問題をクリアした上で、水の透明性は創発的な性質でないと、マラテールは結論づけた。すなわち、量子力学による光の吸収理論に照らして考えると、水分子の構造からは、可視光をほとんど吸収しないことが計算で導き出せる。妥当な還元的説明ができるので、創発を考える必要はないということである。

こうして、水の性質は創発的と言えないことになった。異なる階層であっても、下の階層での事象を理解することにより、上の階層で知られる現象の説明が可能になる場合、ミクロからマクロに向かう階層は、還元的説明のできる関係にあり、創発を考える必要はないことになる。物理学の階層としては、クォークやレプトン（電子、ニュートリノ、ミューオンなど）のような素粒子、ヌクレオン（陽子、中性子）、原子、分子、物質（固体、液体、気体）などが考えられる。生物学の階層としては、分子（DNA、RNA、タンパク質、脂質など）、細胞構成成分（真核細胞における、核小体、核、リボソーム、小胞体、ゴルジ体、ミトコンドリア、葉緑体など）、細胞、組織、器官、個体、種、属、科、目、綱、門、ドメインなどがある。ここに列挙されている階層は、多くの場合、還元的説明で結びつけられていると考えてもよいのだろうか。生物の場合、個体までは物質の集まり方、つまり実在を表しているが、個体より上の階層は、分類上の名称で、後にも議論するように、実在を表すものかどうかは明確でない。それ以外の場合、下の階層の事物は上の階層の現象において「機能」を果たす関係になる。これはほとんどの場合、因果役割機能（CR機能）である。

ここにも問題がある。マラテールも指摘していたように、電子は原子の構成成分でありながら、それ自体で素粒子でもある。同じ事物が異なる階層の成分ということはありうるのだろうか。リボソームの位置づけも同様である。リボソームを細胞小器官と見なす場合もあるが、リボソームが実際に働くときには、構成成分を取り替えながら働き、そもそも、タンパク質合成をしないときには、二つのサブユニットに分かれている。結局、個々の成分であるタンパク質ははっきり把握できるが、リボソームという実体は曖昧である。細胞も曖昧で、現実にはさまざまな種類の細胞があり、生物が違っても細胞という呼称を使う。構成成分を特定しようにも、生きている細胞の成分はつねに入れ替わっている。階層概念自体も単純ではない。

多くの階層間では還元的説明ができるかもしれないが、どうしても創発を考えなければならない状況もあるかもしれない。それは、生命や心である。部品を集めただけではない全体論的性質が見られる場合、その階層は他の階層に比べて特別な実在なのだろうか。あるいは創発はあくまでも認識論的な問題であり、存在論的には各階層の事物はすべて同じように実在するのだろうか。生命については、拙著『創発の生命学』（佐藤 2018a）で論じた。心については第8

章で扱う。

ごく最近、有力な生物学研究雑誌 *Cell* に発表された論文（Singharoy et al. 2019）で、光合成細菌のクロマトフォア（光合成をする小さな小胞）を構成する分子のすべてを使った分子動力学の結果が発表された。これは、クロマトフォアを構成する非常に多くの物質成分の物理・化学的な挙動を物理法則だけに基づいて機械論的に明示的に計算し、システムがどのように作動するのかを考察したものである。最終的な結果は、入力する光の強さと生体が得られるエネルギーの関係を表したごく当たり前のものになっているが、それが計算だけでできたという点で、生物の不思議を原子から解き明かす第一歩と著者たちは考えている。こういう計算が可能になってくると、ミクロな世界とマクロな世界が結びつけられ、生命も還元的に説明できるかもしれないが、まだ、「生きている状態」を計算で再現できるところまではいっていない。

生物学の対象だけではない。「太陽」というときに、教科書に書かれた大きさや重量や物質構成をもった物体を考えるが、現実には太陽は時間とともに燃え尽きていき、約50億年後には冷たくなるらしい。そうした変化するものを指して太陽と呼ぶのだろうか。惑星・衛星なども曖昧である。月はもともと地球の一部で、巨大小惑星の衝突によって分解したときに飛び出したものという説もある。あるいは小惑星がたまたま惑星の重力に捕まって周回するようになった衛星もあるかもしれない。すでに拙著『創発の生命学』（佐藤 2018a）で述べたように、あらゆるものは不均一性を解消するように変化しており、そうなると、個々の事物を実在・実体と捉えるのは、瞬間的な見方だけかもしれない。

もちろん、変化してもそうしたものが存在することを否定しなければ、科学的実在論は成り立つが、名前をつけた実在の姿が変化すると、定義ができなくなるようにも思われる。いまある太陽と恐竜時代の地球とは共存する関係にないとすると、太陽（t）など、実在には時間tも加えて考える必要があるのだろうか。そうなると実在も時間に依存し、科学研究自体も歴史的に発展することとなり、科学は非常に複雑なものになる。時代Tの科学で考える時間tにおける太陽など、これは科学哲学の手にも負えなくなりそうだ。

6 「徐々に獲得される知識」という科学のあり方から見た実在の問題

以上の議論を少し違った視点から見てみたい。それは、すでに何度も繰り返して述べてきている通り、科学知識は一度に与えられるものではなく、徐々に獲得されるものだということから考える実在の姿である。第4章で、科学知識の獲得は、実体における変化と見なされるノードを結びつけるエッジによって構成されるネットワークを細分化することだと述べた。その場合、新たにネットワークに加えられるノードの実在性と従来からあるノードの実在性では、程度が異なるかもしれない。反実在論者に言わせれば、こうしたネットワークは「便利な虚構」に過ぎないのだが、その便利さの度合いもノードごとに異なるのかもしれない。実在論者から見たときにも、新しく導入されたノードが絡むエッジの信頼性は低いかもしれない。

私のネットワークモデルは、少なくとも生物学の研究における知識獲得のモデルとしては適していると思うが、こうしたノードやエッジの便利さや信頼度の違いは、物理学の対象の実在性についても言えるのだろうか。端的に言って、事態は同じだろうと思う。たとえば、電子の実在性について哲学者が議論するとき、現在の非常に高度で緻密《ちみつ》になった知識体系のなかで、いきなり電子だけを取り出してその存在をどう考えるかを問題としている。そうなると、電子が確かに実在して、理論はそれを正確に記述しているという実在論と、電子は観察できないので便利な虚構に過ぎないと考える反実在論の先鋭な対立が浮き彫《ぼ》りになる。しかし、最初に電子が発見されたときは、陰極線として電子のビームが見い出され、やがて、電子は物質の基本的構成粒子となっていったのである。そうした場合、知識の獲得につれて、電子の実在性も次第に増していったと考えるのがよいのではないだろうか。便利な虚構というのも後になってからの話で、最初は「怪しげな仮説的存在」だったに違いない。まして、そんな微小な荷電粒子がわれわれの体も含めてあらゆる物質の構成要素であるなどというのは、簡単には信じられなかったであろう。しかし、同時に原子核の構造や原子の成り立ちの量子力学的な理解が進むことで、電子を仮説的なものと見なすのは無理になり、存在するならする、存在しないとしても、理論上絶対に欠かせないきわめて便利な虚構と認めるようになったのである。

同じことを私の階層ネットワークモデルで考えると、わかりやすい。たとえば、電子線が発見されたときには、図6bの一番下の「現象のネットワーク」にノードが加えられる。しかし、電子の理解が進んで行くと、電子を一段上の階層におき、それによって電子線や原子構造など多様な現象を説明するものに変わる。さらに素粒子の理解が進んでくると、電子はさらに上の階層に置かれ、それによってさらに多様な理解が進む。こう考えると、一番下の階層にあるものは、間違いだったとして簡単に除去しても全体に影響を及ぼさないが、二番目の階層にあるものを取り除くと、多くの現象の理解に影響してしまう。それに代わる別の原理を見つけなければならない。これは、後に出てくるパラダイムや研究プログラムの交代に相当するかもしれない。

結局のところ、「非常に便利な虚構」は「実在」とどこが違うのだろう。われわれにはその区別はできないのであるから、どう考えてもよいのではないだろうか。プラトンのイデアのように考えてもよいのかもしれない。このように、科学知識を徐々に獲得していくというプロセスを考えたとき、どういうものの存在を認め、どういうものを仮説的虚構にとどめておくのか、その実在性のグレードがさまざまに考えられるのではないだろうか。総じて言えることは、学問が進むにつれて、私が考えるネットワークの網の目がますます細かくなり、個々のノードが勝手に消えるわけにいかなくなってくるということである。また、上に述べたように、いくつかの新しい原理や法則が上の階層に加えられ、それによって、下の階層への例化による理解ができるようになる。そうすると、なおさら、上のノードは簡単には消えられなくなる。どちらの場合も、もろもろの「しがらみ」があって、一つの概念を実在と認めないにしても、それが全体のネットワークの中で果たす役割を否定することはできなくなってしまう。「しがらみ」がいわば「実在性」なのではないだろうか。局所的なネットワークに色を塗ったり、エッジの太さを変えるとして、色や太さが科学研究の進展とともに変化するとでも表現すればよいかもしれない。このことは創発があったとしても変わらない。創発は、私のネットワークモデルでは、現象の階層のネットワークの一部と見なせる。矢印は因果でも創発でもよいはずである。創発の例として、以前に挙げた「ノッチとデルタを発現する細胞群が、それぞれを発現する細胞の市松模様のパターンを形成する」ことを考えてみると、一般的な創発原理として「多数のものの特定の相互作用により系が二極化することがある」を上位の階層におくと、その例化として理解できるようになる。創発にもさまざまな種類があると思うが、その種類ごとに一般的原理を設定すれば、現象のネットワークの説明ができるようになる。或る実在が、少なくとも或る理論体系にとって概念的に不可欠となったとき、実在と非実在との差は限りなく少なくなってしまうように思う。

第6章

科学的説明と推論の例

1 酵素の本質に関する議論
2 酵素の作用機構の問題
3 ミハエリスとメンテンの研究
4 酵素概念に関する歴史的・哲学的考察
5 科学研究の推移と酵素の実在性概念
6 氷はなぜ滑るのかという問題

この章では、オカーシャの本をひとまず離れて、これまでの科学的推論、科学における説明、実在論などについて解説した章を受けて、現実の科学的知識の獲得において、推論、説明、実在論がどのように使われているのかを私なりに考察する。従来、科学哲学で使われている例はきわめて単純なものが多く、また、物理的なものに偏っているので、ここでは、酵素を例にとって説明する。さらに、最近わかりはじめた「氷はなぜ滑るのか」という古くて新しい問題についても検討する。

1　酵素の本質に関する議論

現在の知識としては、酵素はタンパク質でできている生体触媒である。この他に触媒活性をもつRNAをリボザイムと呼ぶが、いまは考えない。近年の構造解析技術の発展により、いまや、酵素は明確な立体構造も分かる、はっきりとした分子的実体として認識されているというのが、教科書的な、一般的な見方である。もともと酵素が研究対象となったのは、19世紀後半、パスツールの研究により、発酵が微生物によって起こる現象であることがわかり、さらにブフナーの研究によって、微生物の細胞を壊しても、内部にある酵素が働いて発酵ができることが分かったことからである（拙訳『パスツールと微生物』参照）。この時代、酵素はまだ正体不明の不思議なものだった。微生物との違いすらも曖昧だった。当時、酵素を表すために使われた言葉は ferment（発酵素）であったが、これは酵素活性を表すもので、パスツールはこの言葉を酵素にも微生物にも使っていた。微生物がもつ生命力のようなものを表していたようにも見える。現在、酵素に当たる言葉は enzyme であるが、これは、キューネによって、それまで、可溶性という意味で「形のない発酵素」と呼ばれていたものに明確な化学的実体を与えるために命名された（Kühne 1877, p.190）。別の名前として、ジアスターゼ diastase も用いられた。現在では、ジアスターゼは特定の種類の酵素を指す言葉になっている。

19世紀末から20世紀初頭まで、酵素の実体は不明で、主な二つの考え方の対立があった。一つは、酵素とは（通常のふつうの）生体物質がもつ特別な性質であるということで、これは当時勢力をもっていたコロイド化学に基づくバイオコロイド学の影響であった。パスツールの弟子のデュクローなどがこの説を主張した。これはいわば、「生命力」という概念の名残でもあった。これに対して、糖の立体化学で業績を挙げた有機化学者エミール・フィッシャーは、酵素も分子であると考えた。今では後者に軍配が上がるのは当然のように思われるが、当時は、光、電気、磁気など、さまざまなものを物質と見なす誤りが認識され、何でも物質と見なすのは正しくないと考えられたことが、ベルギーの生化学者フロルカンの大著『総合生化学』の第30巻『生化学の歴史』に解説されている（Florkin 1972, p.271, 'unjustified substantiation'）。このように、新たに不明のものが発見されると、それをどう考えるのか、すぐに異なる立場からの見解が示される。しかも、それらは、背景にある「ものの考え方」（世界観）に依存している。この対立は、ウレアーゼという酵素が精製されて、タンパク質であることが分かったあとの1930年代までつづいていた（Florkin 1972）。

20世紀初頭、酵素にはさまざまな種類があることがわかったが、現在のように単一の酵素を単離精製できるわけではなかったので、酵母から抽出した酵素液をまるごと使ったり、アルコール沈殿などごく簡単な素精製をした上で実験に用いていた。それでも、フィッシャー（Fischer 1898）は、一つの酵素液がさまざまな物質（基質）に対して働くとしても、それぞれの基質は構造が異なるので、基質ごとに異なる酵素が作用していると考えた（基質特異性）。特に、光学異性体や構造異性体をもつさまざまな糖を基質としたときの酵素の作用を比較して、きわめて高い立体特異性を示す酵素があることから、酵素と基質は「鍵と鍵穴」の関係にあり、互いに構造を精密に認識するという仮説を提唱した。これは、明らかにIBE（アブダクション）であり、いくつかの可能性がある中で、最善と思われる仮説を提唱したことになる。物質の光学異性体や構造異性体の概念を詳しく研究した有機化学者であるフィッシャーならではの洞察によるものであっただろう。一方で、「性質としての酵素」に基づく対立仮説にとっては、この立体特異性の問題は解決が難しかったと思われる。光学異性体概念を発見したパスツールの弟子たちが、なぜ、こうした曖昧な考え方をとったのか、不思議なことである。細胞内の特殊な物質が示す特殊な性質として、酵素を神秘的なものと見なしていたのかもしれない。やはり、背景にある「ものの考え方全体」が影響していると思われる。すなわち、背景にある全体的な考え方は、説明における「適切性」を決めており、考え方の異なる対立する研究者の間では、議論の前提となる適切性の基準も異なっていたことになる。いくらフィッシャーが「鍵と鍵穴」と言ってみても、対立する学者たちは、単なる空想（便利な虚構）としか思わなかったであろう。

2　酵素の作用機構の問題

酵素が物質（分子）であるとの前提に立つと、酵素が基質に働きかけて化学反応を起こすという考え方ができる。さらに、当時すでに確立していた化学反応の反応速度論を適用することにより、酵素の作用機構に関する仮説を立てることもできた。この場合、酵素の本質についての明確なイメージがあり、それに基づいてさまざまな可能性を考え、実験を行うこととなる。つまり、仮説からモデルをつくり、それに基づく可能性を演繹し、実験により検証するという作業である。しかし、ことはそう単純ではない。酵素の反応機構の研究で活躍したアンリ、ミハエリス、メンテンの三人について、それぞれの生涯、研究生活、主な貢献などをまとめた論文が、ミハエリス・メンテンの記念碑的論文から１００周年を記念して、名称は変わったものの同じ雑誌に発表されている（Deichmann et al. 2014）。酵素の問題に取り組んだ経緯や、その後の活動などもわかる。

当時、酵素反応の研究でよく使われたのは、酵母の抽出物に含まれる（と考えられた）インベルターゼ（当初の名称はインベルティン）という酵素であった。この酵素は、ショ糖を加水分解して、ブドウ糖と果糖を生成する。それに伴って旋光度が変化することを利用して、反応を追跡できた。そのため、インベルターゼは酵母抽出物中のごく微量な成分であるものの、酵素活性は確実にしかも精密に測定できた。なお、旋光性とは、糖の溶液に偏光をあてたとき、偏光面が回転することを指し、その度合い（比旋光度）は糖の種類によって異なっている。旋光度は光の波長に依存し、糖の濃度や光路長に比例するので、ナトリウムランプのD線（厳密には589.6 nmと589.0 nmの二本の輝線からなる）を光源とし、糖の濃度を1 g/mL、光路長を10 cmとしたときの旋光度を、比旋光度と定義する。これは物質固有の量となる。糖はその構造に不斉炭素と呼ばれる非対称な構造を含み、そのために、旋光性を示すのである。ショ糖の比旋光度は+66.5°で右旋性、ブドウ糖と果糖の比旋光度はそれぞれ、+52.5°と−92°なので、生成物の比旋光度はその平均で、−20°となる。つまり、ショ糖の加水分解が起きると、反応の前後で旋光度が反転（inversion）する。それがインベルターゼの名称となった。この反応を「転化」と呼ぶ。転化した糖は転化糖と呼ばれ、もとのショ糖よりも甘いので、今でもさまざまな食品で利用されている。このように、純粋に物理的で非破壊的な方法を使って、酵素反応の進行を調べることができた。つまり、20世紀初頭の技術では、反応生成物を有機化学的に分析するよりも、はるかに高い精度で反応の進行を測定することができた。当時すでに多くの研究者がこの方法を採用し、この測定ができるがゆえに、インベルターゼ反応が最適な研究材料となったのである。どんな研究でも、理論形成とは別に、最適な実験材料を選択するということが重要であることがわかる。これは科学哲学の話題というよりは、科学史における偶然性の問題かもしれない。たまたまちょうどよい材料と測定法があったという偶然が、新たな研究の発展を生み出したのである。

アンリ（Henri 1903）は、フィッシャーの考えに従って、酵素と基質がいったん結合するのではないかと推測していたが、それだけではなく、酵素反応が、単純に基質濃度に比例するものではなく、高い基質濃度で飽和すること（図7参照）が、酵素と基質の結合を示唆すると考えた。

ショ糖の転化速度の研究、特に、ショ糖濃度の影響の研究から、この転化は、中間体が形成される触媒反応の研究で使われるものと同様の複雑な法則に従うことが示された。そのため、ショ糖に対するインベルターゼの作用を説明するには中間体の生成を仮定することが自然である。（p.86）

これはアブダクションである。いろいろな可能性があるものの、もっとも妥当な仮説として、酵素と基質の結合を仮定した。アンリはそれに基づく反応速度式を示していたが、酵素・基質複合体の量に応じて反応が起きる場合の式として、

初速度 $= K_3\,a/(1+ma)$

を導き出した。ここで、aは初期ショ糖濃度、mは酵素・ショ糖結合定数、K_3は反応固有の定

数である。ところが、遊離の酵素の量と基質量に応じて反応が起きる場合も考えてみると、K_3の代わりにK_3/mを入れただけの同じ形の式になってしまう（実際には、アンリは、後述する生成物阻害まで含めた式を示していたが、ここでは理解しやすいように、単純化して表現している）。結局は類似の式になってしまうことから、実験では反応のしくみを決められないと考えたようである。

これはアブダクションが成功しない例であるが、二番目の可能性は、もともとのフィッシャーの考えに照らせば基質特異性を説明できないので、本来は排除されるべきだったと思われる。しかし、異なる考えで立てた式でも、変数に対する依存関係がほぼ同じ形になってしまうことがある点は、他のテーマでもありうることで、説明の論理を考える点できわめて示唆的である。アンリは、後にミハエリス定数となる酵素と基質の解離定数の逆数である結合定数を用いて式を立てていたものの、ミハエリスとメンテンが示すことになるものと同じ形の式を提案していた。しかし、結合定数を実験的に求めることはできず、そのため、便宜的な定数値を当てはめて、実験結果をだいたい説明できるという計算を示していた。また、反応産物による阻害に関心があったようで、あえて複雑な形の式を使って実験結果との一致を調べていた。研究の進め方は、研究者それぞれの個性によるところが大きく、何に関心をもって研究したのかということによっても大きく左右される。

もう一つ面白い点は、アンリ（1903）では、実験結果を示すのに、その日付を示していることとである。１９０１年１月11日、１９０２年５月１日、１９０２年５月８日、１９０１年２月25日と書かれている。実験結果の再現性を、統計値で示すのではなく、実際に実験を行った個人の体験として、こんな風に努力しているのだという形で示している点は、昔風の論文のスタイルである。

３　ミハエリスとメンテンの研究

（ⅰ）概要

ミハエリスとメンテン（Michaelis & Menten 1913）は、アンリらの研究を土台として、先に進んだ。すなわち、それまでに他の研究者が行った実験結果から、中程度のショ糖濃度の場合、一定量の酵素液を使った実験では、反応速度はショ糖の濃度によってあまり変わらなかった。ショ糖濃度が高すぎるとかえって反応速度は遅くなり（基質阻害）、ショ糖濃度が低いときには、それに応じて反応速度も低くなった。反応時間が長くなると、生成物による反応の阻害が起きることが知られていたため、反応の時間経過を測定し、最初の直線的な旋光度減少から反応の初速度を求めた。また、同じ測定を６回行って、平均値をとった。普通にプロットすると、基質であるショ糖の濃度を、基質阻害が起きない範囲でいくら高めても、反応初速度はある程度

図７　ミハエリスとメンテンが行った実験の結果の一例をプロットし直したもの

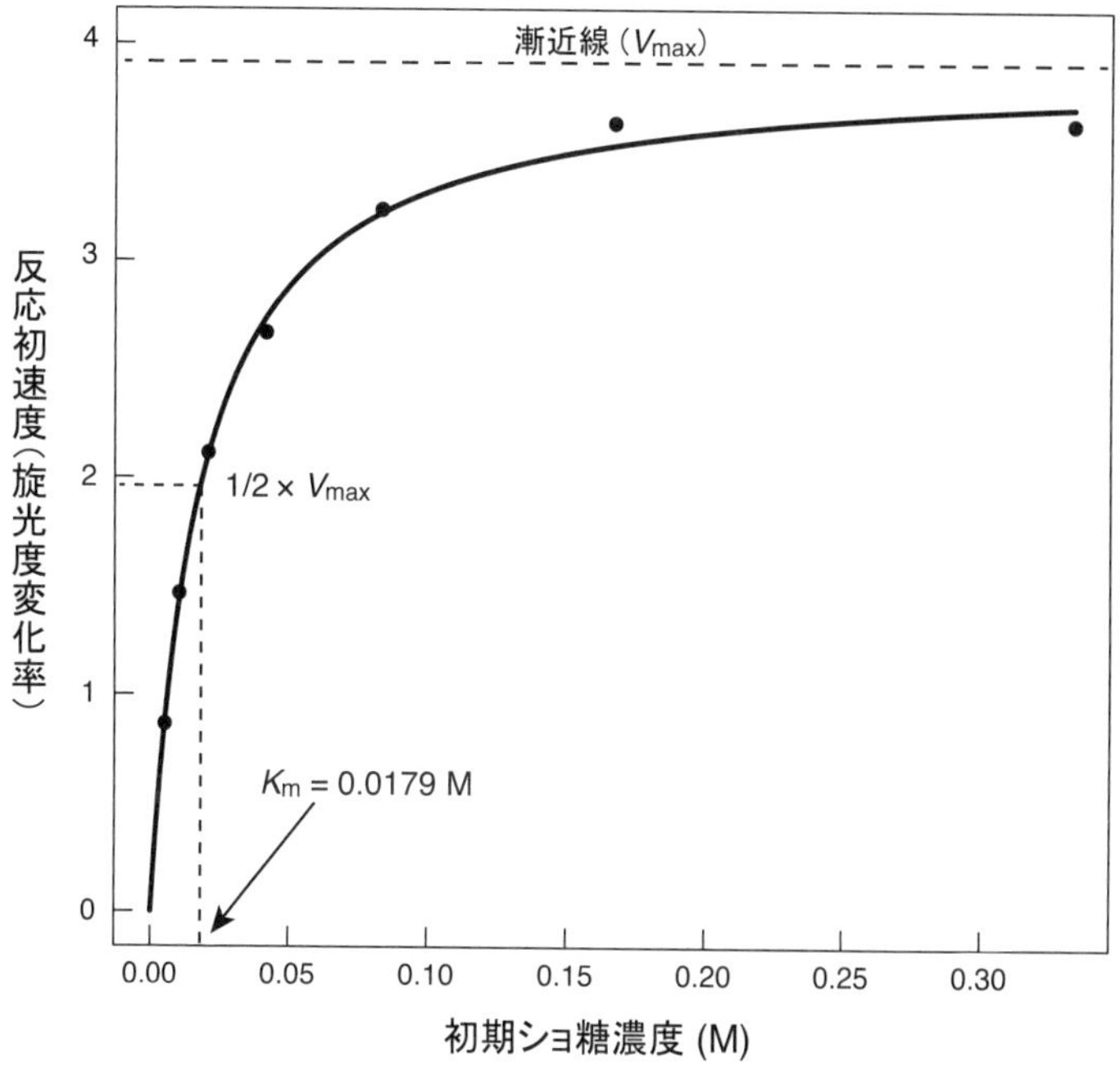

以上には上がらず、図7に示すように漸近線が描ける。これが酵素に基質が結合して飽和することを示すのだが、ミハエリスとメンテンは、アンリの研究結果を土台にして、いきなりモデル構築に進んでいる。理論構築の段階では、この飽和現象が酵素反応の特徴を表していて、そのため、酵素と基質が結合するモデルを立てる必要が出てきたのであるが、それはすでにアンリが議論していたことであり、ミハエリスとメンテンはむしろモデルから定数を求めるという方向に進み、それを通じて、モデルの正しさを確認するという形で論文をまとめている。

(ii) 実験の工夫

ミハエリスとメンテンの批判によれば、アンリは反応液のpHを保つことをしておらず、また、反応速度の算出方法として、反応液の旋光度変化をそのまま使ったため、再現性のある結果を得ることができていなかった。実は、反応生成物のブドウ糖には旋光性の異なる異性体があり、反応で最初に生じたときと、水溶液中で放置したときとでは、異性体の混合比が変化する。そのため、反応開始後、一定時間ごとに反応液を取り出して、アルカリを加えて酵素反応を停止し、その上で30分ほど待ってから旋光度を測定する必要があったと、ミハエリスとメンテンは述べている。こうしたさまざまな注意点を見ると、彼らの実験の精度がきわめて高かったことの理由がわかる。このように、科学実験では、実験方法に関するさまざまな注意が必要になるが、それは、実際に実験を繰り返していかなければ分からないことである。往々にして、

図8　ミハエリスとメンテンによる酵素反応のモデル

$$\mathrm{E} + \mathrm{S} \underset{\text{速い平衡}}{\overset{K_S}{\rightleftarrows}} \mathrm{ES} \xrightarrow{c} \mathrm{E} + \mathrm{G} + \mathrm{F} \quad \text{（化学反応式1）}$$

$$v = \frac{\mathrm{d}G}{\mathrm{d}t} = \frac{\mathrm{d}F}{\mathrm{d}t} = c \times ES \quad \text{（式2）}$$

$$E_0 = E + ES \quad \text{（式3）}$$

$$v = \frac{V_{max}S}{S + K_S} \quad \text{（式4）}$$

なお、現在は速い平衡を前提とせず、準定常状態の仮定のもとで式4を求めるが、形式的には、$K_S(=k_{-1}/k_1)$を$K_m=(k_{-1}+c)/k_1$に置き換えたものとなる。k_1はES形成速度定数、k_{-1}はESがもとのEとSに分解する速度定数を表す。

最初の実験ではきれいな相関関係が見えても、繰り返し実験をすると、再現しないことがある。pHや温度などのさまざまな実験条件を制御し、また、測定方法にも工夫を凝らすことで、ようやく再現性のあるデータがとれるようになる。このあたりのことは、データの理論負荷性などとも関連する。実験者が、そこで何が起きているのかを想像し、その上で、起こりうる誤りをできるだけ回避することが、優れた実験のデザインということになる。それは、背景にある理論とも完全に分離できるものではないかもしれない。また、起こりうる問題点に気づくことができるという実験者のセンスが問われるところでもある。

(iii) 反応モデル（図8）

ミハエリスとメンテンの研究では、酵素Eがショ糖Sの加水分解を引き起こすには、酵素がいったんショ糖と結合するという仮定をおいて、化学反応式1のようなモデルを考え、反応速度の計算を行った。その際、酵素と基質の結合は速い平衡反応で、一定の解離定数K_Sをもつと考えた。酵素・基質複合体ESからは一定の速度定数cで生成物(ブドウ糖Gと果糖F)ができると仮定し、これが反応全体の初速度vを与える(式2)。なお、式3のように、酵素の総濃度をE_0とし、$V_{max} = cE_0$ とおくと、vは式4のように表される。ここで、斜体は濃度や定数を表す。

こうして、基質濃度Sと反応初速度vとの関係は、式4のように表され、図7のような飽和曲線(双曲線関数)となることが推定された。その際、最大速度の1/2を与える基質濃度は、酵素濃度によらず定数K_S(後にミハエリス定数と呼ばれ、現在ではK_mと表記する)となると教えるのが、現在の生化学教育のやり方である。しかし、ミハエリスとメンテンは、式4が酸塩基滴定の式と似ていることに注目した解析をしていた。20世紀の初めは、まだ溶液の酸性・塩基性を評価する明確な指標がなく、ようやくデンマークのゼーレンセンやここで話題のミハエリス自身がpHの概念を提出して、タンパク質に対するその影響を考察しはじめたところだった。その場合、pH滴定であれば、加えた酸または塩基の量に対してpHをプロットしたグラフを描く。ミハエリス自身の理論では、水素イオン濃度$[H^+]$と解離していない酸の割合ρ(ロー)との関係が双曲線関数となる:$\rho=[H^+]/([H^+]+K)$。なお、Kは酸の解離定数である。これが式4と似ていると考えられた。そこで、ミハエリスとメンテンは、ショ糖濃度の対数に対して反応初速度をプロットしたグラフをつくり、その変曲点を与えるショ糖濃度をK_Sとして求めた。論文の説明によると、変曲点付近の傾きのタンジェント（三角関数の一種 tan）を ν（ギリシア文字でニュー）とすると、縦軸のスケールは横軸のスケールの v/0.576 となるという理論的考察から、縦軸の換算した単位を定めている。このようにすると、曲線の形は一通りに決まるはずであった。そこで、滴定曲線と同じ形の標準的なS字曲線をずらしながら当てはめ、最も良く当てはまるところを探した。その状況で、標準滴定曲線の変曲点に相当する点を求め、それを与えるショ糖濃度を K_S として求めていた。このような奇妙で手間のかかる方法を使ったにもかかわらず、四つの独立した実験で、ミハエリス定数として約 0.016 M（モル／リットル）の値を得ることに成功した。図7には、そのうちの一つの実験について、現在用いられる非線形最小自乗法によるフィッティングの結果として、0.0179 M の値を示してある。なお、以前に生化学の教科書に標準的な方法として載っていた逆数プロットは、不正確なので今は推奨されていない。

(iv) ミハエリス定数の意義

ミハエリス定数の存在は、酵素反応のモデルが成り立っている証拠と見なされた。この過程は、かなり多くの前提を含むモデルを考えて、そこから得られる帰結を演繹している。結果が飽和曲線になること自体も重要だが、そのような形の曲線は多くのものが考えられるので、それだけでは、モデルを証明できたことにはならない。実際にミハエリスとメンテンが行ったような片対数プロットで、滴定曲線のようなS字型の曲線を当てはめることができたからといって、必ずしもモデルの正しさを証明するものとは言えない。ある程度の誤差を考えれば、さまざまな曲線が当てはめられるに違いないからである。しかし、ミハエリス定数が実験的にきちんと求められる一つの定数になったという事実は、上記のモデルの強い確証となる。なぜなら、他の形の飽和曲線であれば、同様の操作で求められる数値が実験条件（酵素濃度）に無関係になるとは限らないからである。ここでは、暗黙のうちにさまざまな他の形の曲線を考え、それらでは説明できず、特定の双曲線関数（対数尺度では滴定曲線）だけが適切な説明を与えることを示している。つまり、これは最善の説明を与える推論ＩＢＥである。本当の意味であらゆる関数形を試しているとは思えないが、複数の独立な実験によって同一の定数が求められることは、反応機構のよい説明であることを証明していると考えられる。

実際にミハエリスとメンテンが行ったことはさらに複雑で、反応生成物であるブドウ糖と果糖がインベルターゼに可逆的に結合して、ショ糖の加水分解反応を阻害することまで含めた計算を行い、それもモデル通りになることを確認している。これらの実験については、Johnson & Goody（2011）がドイツ語で書かれていた原論文の英訳と解説を発表している。なお、英訳は他にもいくつか公表されているが、ここに示したものが、詳しい内容の考察も含めた解説を提供している。

4　酵素概念に関する歴史的・哲学的考察

以上、やや専門的に見えるかもしれないが、生化学の例を使って、具体的な推論の仕方を紹介した。ここで重要なことは、最初に酵素と基質が結合することを推定する段階は、かなり大胆な推論であるが、その後、定量的に検証できるモデルを生み出し、それを実証する段階で、科学者は多くの他の可能性も考えているということである。最終的な論文では、他に考慮したものは必要がない限り特に示されず、満足する結果を与えるモデルと計算結果だけが示される。しかし、モデルに含まれる定数が実験的に求められるということは、モデルの正しさを実証するよい証拠である。化学や生化学ではこのような手法は数多く見られる。物理学でもヒッグス粒子の証明では、特定の曲線と実験データの一致が決定的な証拠と見なされた。単なる帰納やアブダクションの説明ではなかなか分からない、科学研究の進め方の一段階ということになる。

現実には、酵素反応のモデルはあくまでも理想化したもので、それぞれの酵素ごとに他の制御物質による阻害など、さまざまな付加的な条件が加わる。また、1913年の時点ではインベルターゼは純化することができなかったが、その後、1926年にはウレアーゼの結晶化が成功し、酵素が純粋なタンパク質であることも証明された。インベルターゼの精製は1967年になって成功し、分子量27万の巨大タンパク質であることが判明した（Neumann & Lampen 1967）。モデルの段階では、酵素は実体のはっきりしないものであったが、これによって、はっきりとした特定の純粋な物質であることも確定したのである。つまり、酵素の研究は、最初、酵素活性だけしか分からない曖昧な段階から、酵素が物質であって、基質と結合するものであることが分かる段階に進み、さらに、酵素を純粋な形で取り出すことで、それが確かに物質（タンパク質）であることを確認する段階になった。これはさまざまな酵素について実証されて、普遍的な法則となった。こうした生化学的研究に加えて、分子生物学的な研究により、酵素をコードする遺伝子の塩基配列がわかると、酵素が単一の明確に定義できる物質となった。その後の研究により、インベルターゼは酵母細胞から分泌される糖鎖修飾されたタンパク質（複数の糖が連なった糖鎖が結合しているという意味：基質の糖とは関係ない）であることがわかった。糖鎖のないタンパク質を大腸菌で作らせて、X線結晶解析により構造を決めたところ、分子量約5.8万のサブユニットが8個（全部同一のもの）、リング状に結合していることがわかった（Sainz-Polo et al. 2013, 図9）。また、各サブユニットには5個の突起状の構造で囲まれた「基質結合ポケット」らしきものがあることが分かり、「鍵と鍵穴」モデルの通りとなった。多くの酵素では、同様の手段により、酵素の立体構造が明らかにされ、その情報をもとにして、酵素と基質との結合のしくみも理解できるようになっている。

こうした例を見ると、問題意識は最初から変わっていないことがわかる。つまり、酵素が決まった構造をもつ物質であり、それが触媒として、基質と結合することによって、生化学反応を進めるという酵素の作用に関する基本原理である。私のネットワークモデルで言えば、イン

図 9　酵母のインベルターゼの構造モデル

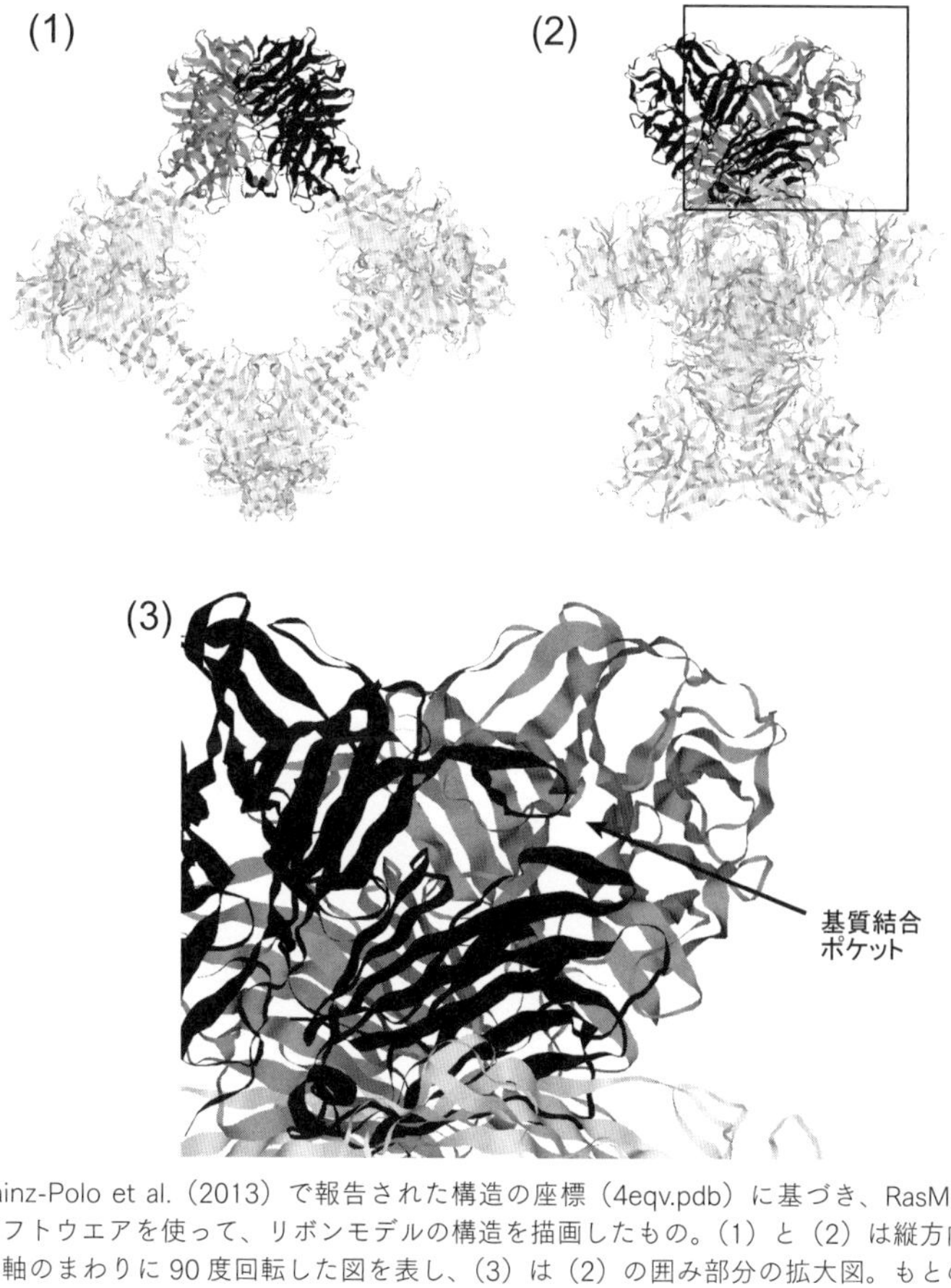

Sainz-Polo et al.（2013）で報告された構造の座標（4eqv.pdb）に基づき、RasMol ソフトウエアを使って、リボンモデルの構造を描画したもの。（1）と（2）は縦方向の軸のまわりに 90 度回転した図を表し、（3）は（2）の囲み部分の拡大図。もとの論文で A と B と名付けられたサブユニットを、それぞれ、黒色と灰色で示している。それ以外の 6 個のサブユニットはさらに薄い灰色で示した。矢印は B サブユニットの基質結合ポケットと推定される部分で、A サブユニットの一部が覆い被さるようにして、基質の結合を強めている。

ベルターゼの働きに関するこれだけのことの全体で、ようやく一つの網目をつくったことになる。その上で、酵素という基本原理は、上位のネットワークの新たなノードとなったわけである。最初は全くの仮説として提案されたものの、100年をかけて、順次、知識が積み重ねられることによって、基本原理がより確かなものに高められていったように見える。それとともに、最初は、特殊な物質であるのか、それとも普通の物質の特殊な性質なのかすら分からなかった酵素が、実体として確立してきたというのが歴史を大きく眺めたときの感想かもしれない。目に見えない酵素の実在性が、反応速度論、酵素の精製、構造解析、遺伝子解析、反応機構解析などの多くのアプローチによって支持され、現在では、酵素は、あたかも眼に見えるかのごとく、基質との反応の視覚的なモデルも示されるようになっているというわけである。しかし、事情はもう少し複雑なのではないかとも疑いたくなる。酵素の実在性とはどんな概念なのだろうか。科学を動的に理解するという観点から、もう少し検討してみたい。

5　科学研究の推移と酵素の実在性概念

上に述べたように、さまざまな研究成果が蓄積されて、ある科学的事実がだんだんと確固としたものになっていった、というのは、一種のサクセスストーリーであり、科学の進歩を無邪気に信じる見方でもある。これまで科学哲学で実在性が議論されてきたのは、電子や素粒子など、物理学の対象が中心であった。そうした場合、電子の実在性といっても、質量がいくらで電荷がいくら、スピンがいくら等々という記述で特徴づけられる粒子（なお、粒子か波動かということは、電子に限らない問題なので、ここでは粒子とした）が存在するという以上のものではなく、他の物質との相互作用において物理的法則との関連でしか定義できない存在である。そのため、実在するのか、便利な虚構なのかという議論に陥ってしまう。どちらでも結局のところ、大きな違いはないかもしれない。これに対して、生物学的な対象は、それを観察する人間の見方が大きく反映する。ウイルスなども見えない脅威であり、そうした実在は電子顕微鏡でウイルス粒子が見えたときに証明されたようにも思われるのだが、そこで見えているものが確かに病気の原因であるかどうかは、見ただけではわからない。そのウイルスの遺伝子を解読して、確かに病原性に関連する遺伝子が含まれるなどの知識が加わって初めて、病原体を同定したことになるのだろう。おそらく議論の仕方はよく似ているが、ここでは酵素の実在性について、すでに述べた酵素研究の歴史を踏まえて、その後の歴史も俯瞰しながら、さらに考察してみたい。

すでに述べたように、最初は、「もの」なのか性質なのかも議論されていた酵素活性から、酵素という分子が存在していると考えることで、反応速度論が合理的に理解できるところまで進んだというのが、ミハエリス・メンテンの式の誕生である。この段階では、依然として酵素が「便利な虚構」であっても全く不思議はなかった。これに対し、１９２６年のサムナーによるウレアーゼという酵素の結晶化の成功は、酵素が「もの」であることを強く印象づけることとなった。これで酵素の実在性が証明されたという見方もあるかもしれない。しかし、生化学を自分で研究したことのある人なら分かることだが、努力して精製し、そこに明確な物質が見えるようになっても、その見えているもの（あるいは検出器で検出されているもの）が、その酵素活性を担っている本体であるかどうかは簡単にはわからない。ごく微量の不純物があって、それが酵素活性を生んでいるかもしれない。

こうした議論は、ＤＮＡが遺伝物質であることを証明するエイブリーの実験でもつきまとった。彼は、毒性の強い肺炎球菌株と毒性が弱い肺炎球菌株を用い、生きた菌体を使わなくても、菌体から抽出したＤＮＡだけを用いれば、病原性を再現できた。しかし、精製したＤＮＡにも微量のタンパク質などが含まれていることは否定できず、ＤＮＡが遺伝子本体であることは、研究者になかなか納得してもらえなかった。その後、ワトソンとクリックにより、ＤＮＡの二重らせん構造が提案されて、ＤＮＡが遺伝情報を担う能力があることが証明された。さらに放射性同位元素でタンパク質とＤＮＡを別々に標識したファージを使った感染実験によって、ようやく、ＤＮＡが遺伝情報を担う本体であることがほぼ確定したという歴史がある。詳細は、分子生物学の教科書や『生命科学の歴史』（Morange 2016）などを参照していただきたいが、研究とは一筋縄ではいかないものなのである。説明のモデルなどで単純化して示される論理とは異なり、現実の生物や生体物質を対象とした学問では、さまざまな方面からの知識が集められて、ようやく一つの考えが多くの研究者によって支持されるようになるのである。物理学の発見の歴史をモデルとした科学理論形成では、もう少し単純化したイメージが流布されているが、おそらく本質的にはよく似ていると思う。

厳しい見方をするならば、1970年代までの生化学では、どれだけ酵素を精製しても、物質として検出されるものがその酵素活性の本体であることを証明することは、本質的にはできなかったのである。そのため、酵素に関わる当初からの問題、つまり、酵素は一つのものがいろいろな活性を示すのか、それとも、それぞれの酵素活性は別々の化学的実体によって担われているのかという問題も、簡単には解決できなかった。

とはいうものの、アカパンカビを用いた遺伝生化学がビードルとテータムによって推進され、1941年に「一遺伝子一酵素」説が提案されると、それぞれの酵素活性を担う実体が特定の遺伝子の産物であるということが認められるようになった。つまり、細胞内には数多くの種類の酵素があり、それぞれはたった一種類の酵素活性をもっているという考え方である。ここで、上に示した1970年代とここに示した1941年との関係が疑問になるかもしれない。一遺伝子一酵素説が多くの研究者によって承認されたからといって、すべての酵素の遺伝子が特定できたわけではなく、現実に生化学者が精製しようと努力する酵素は、そのたびに新しいものだった。そのため、1970年代になっても、原核生物であるシアノバクテリアに真核細胞特有のヒストンが存在するなどという精製報告が発表されるというようなことは続いていたのである。今から見ればばかばかしいように見えるこうした研究論文も、当時、泥臭い生化学を真剣に研究していた研究者にとっては、全くでたらめとは言えないものであった。実際、後に古細菌（アーキア）と呼ばれることになる原核生物にはヒストンがあったのである。これなどは特称命題からの新規分類の誕生の例となる。

では、どうすれば、特定の酵素活性を担うものが単一の酵素分子であることが証明できるのか。それには、遺伝子クローニングという技術の誕生が不可欠であった。酵素を精製して、その画分には特定のタンパク質が存在することがわかっても、実際にそのタンパク質が目的の酵素ではなかった例はいくらでもある。それだけ生化学は難しいのである。精製できたタンパク質の抗体を利用したり、部分配列の情報を利用したりすることで、遺伝子（相補ＤＮＡ）をクローニングする技術が１９８０年代に普及した。こうしてクローニングした単一の遺伝子を大腸菌などで発現することによって得られたタンパク質が、実際に、想定した酵素活性を示すことがわかると、ようやく、その酵素活性がそのタンパク質によって担われていることが証明できた。酵素と基質の結合や、反応機構の研究も進められた。つまり、これで酵素の実在性が確認できた。この段階で、ようやく、酵素がそれぞれ異なる活性を担う特定の構造をもった分子であることが判明したことになる。このことの重要性は他にもある。一つの生物や細胞にも、よく似た活性をもつ複数の酵素が混在していることがある。生化学的に精製できる酵素はたいてい、そうしたものの混合物であった。その場合、個々の酵素分子種によって他の制御分子による制御の受け方が異なることもある。そのため、酵素の性質を調べても、混合した酵素の性質の全体が見えていたことになる。実際には、複数の酵素が共存しても、環境条件や組織によって、その混合比率が異なり、それぞれの場面で都合のよい活性や活性調節機構を示すことがある。遺伝子クローニングによって、それぞれの酵素分子の性質が明確に定義できるようになったことで、こうした現実の場面での酵素の働きを詳しく理解できるようになった。

ところが話はそう簡単ではない。ある酵素がある基質と結合し、それで、その基質が特定の化学反応によって、別の物質に変化するというのは触媒過程である。問題は、その酵素タンパク質が、なぜ、その酵素活性、つまり触媒活性を示すことができるのかである。それが合理的に理解できなければ、問題の分子が酵素であることを証明したことにならない。実在性のハードルがさらに高められたのである。一般の読者にはこのことの意味が分かりづらいかもしれない。タンパク質は、20種類のアミノ酸がつながってできた物質である。その場合、タンパク質分子に含まれるアミノ酸の種類は20種類に限定されている。それがさまざまな順序で結合することによって、さまざまなタンパク質を作り上げている。つまり、どの酵素も素材はほとんど同じなのである。それなのに、なぜ、ある酵素は特定の酵素活性を示すことができるのかということは、きわめて不思議なことである。その意味では、酵素が「ふつうの物質のもつ特別な性質」と考えた昔の学者にも一理あったことになる。

この難問に答えるには、酵素タンパク質の立体構造を解明しなければならない。ほとんど同じ素材でできていても、タンパク質は複雑に折りたたまれた構造をもつことによって、立体的な造形になっていることが、すでに物理的測定によって分かっていたからである。タンパク質はアミノ酸が一つながりにつながった物質なので、いわば、針金細工をイメージすればよいだろう。図9のような図はよくお目にかかるが、一本の針金でも上手く複雑に曲げていけば、ネコの形でも、自動車の形でも作ることができる。そうなれば、特定の基質とだけ結合できるような形も作れるだろう。現実の酵素タンパク質の立体構造を解明する方法は、X線結晶解析が代表的なものであった。1952年にペルツによりミオグロビンの結晶構造が解明されたのを皮切りに、さまざまなタンパク質の立体構造が判明した。また、最近では、電子顕微鏡によるタンパク質分子の全方向からの観察を組み合わせて、立体構造を再構築する手法も一般化した。基質と結合した状態の酵素の構造もわかるようになり、酵素タンパク質のどの部分で基質を結合できるのかが判明した。それに基づいて、タンパク質のアミノ酸配列のうちの特定の部分が基質結合に関わることも分かってきた。さらに、ある程度の推論も交えれば、基質に起きる化学反応を引き起こす触媒中心となるアミノ酸を特定し、酵素反応の反応機構を分子レベルで説明できるようになった。こうして、あるタンパク質が特定の酵素として機能することが、合理的に理解できるようになった。つまり、酵素の実在性が、構造の特徴と結びつけられることとなった。逆に言えば、その構造的特徴（配列モチーフなどと呼ばれる）を持っていれば、どんなタンパク質でも、特定の酵素活性を示すことができるかもしれないことになった。

そこで、疑問はむしろ拡《ひろ》がる。特定の構造的特徴をもつタンパク質は、いくらでも見つかるからである。ゲノム解読が進められたことにより、非常に多くの生物がもつすべてのタンパク質（となりうる）配列が明らかにされてきている。その中には、さまざまな酵素活性を示す可能性のある構造的特徴を示すものが、数多く発見される。そうなると、こうした類似配列をもつすべてのタンパク質が、本当にその酵素活性を示すのかどうかが問題となる。しばしば、少し違った基質に働きかける、少しだけ性質の異なった酵素ということがある。こうした酵素群を酵素ファミリーと呼ぶ。まれには、特定のファミリーの酵素でありながら、全く予想外の活性を示す酵素もある。やはり、活性中心だけでは酵素とは言えないのである。分子の全体が重要である。分子の他の部分に、制御分子との結合部位があることもあり、また、他のタンパク質との結合に関わる領域があることも多い。そうなると、同じインベルターゼという名前の酵素であっても、それを含む生物ごとに、あるいは遺伝子ごとに、異なる性質の酵素ということになり、酵素の名称のもつ意味がはっきり定義できなくなってくる。それぞれの生物にさまざまな酵素があるという多元論になると、酵素という概念を定義した意味がなくなってしまうのではないだろうか。

最初の酵素の実在性に関する問題意識に戻って考えると、生物や細胞が示すさまざまな代謝活性が、それぞれ異なる酵素活性として定義され、それぞれごとに異なる酵素分子が担当するという機械論的な生物モデルが考えられた。細胞の活性が変化するときには、それを担当する酵素が作られたり分解されたり、あるいは活性調節されたりすることで実現される。酵素が生物を機械論的に理解する部品としての役割を果たすと考えられた。その限りでは、それぞれの酵素は、生物体あるいは細胞という全体の一部分という位置づけである。ところが、前の段落で述べたように、酵素は一般的に定義される特定の名称で呼ばれるものというよりも、その生物ごと、その遺伝子ごとに、さまざまな性質をもつものである。つまり、酵素は一般的な機械部品でできた細胞装置の一部品というよりも、細胞という全体のなかでその細胞に固有の機能の一部を担当するものということになってきた。結局、細胞の一部分というだけなら、酵素という意味はないことになってしまう。19世紀末ごろには、酵素活性を生体物質が示す特殊な性質と考える人々がいたことを述べたが、結局のところ、それと何が違うのかということになる。もちろん、その当時の酵素＝性質という考え方では、何か実体の分からない物質がその場その場で適切な活性を発揮するという、どこか神秘的なイメージがあった。今の考え方がそれとは違うと本当に言い切れるだろうか。生物は知れば知るほど奥が深い。分かったと思ってもまた疑問がわいてくる。

もう一つの問題は、その生物にはなぜその酵素が存在するのかということである。必然的な存在でなければ実在とは言いがたいのではないかという疑いを抱く。現実に、多くの微生物には、水平伝播（系統的に全く無関係な他の生物から遺伝子が導入されることで、そのしくみには、D

NAがそのまま入り込む以外に、ウイルス感染や一過的な共生による場合も考えられる）した遺伝子の産物であるさまざまな酵素があって、その微生物株に特有の特徴を生み出している。そういうものも、もちろん存在するという意味では実在だろうが、その微生物という種の存在にとって、あってもなくてもよい遺伝子や酵素は、本当に実在と言えるのだろうか。生きるために必然的に存在する酵素や物質と、なくてもよい（と思われる）酵素や物質の存在意義をどのように定義づけるのか、すでに述べたように、生存に必須の酵素や自然選択によって保存された酵素（SE機能）と、単に今生きている生物体のなかで特定の働きをうみだしている酵素（CR機能）の存在理由の違いは、酵素の存在意義の違いを生み出している。存在が必然的でない物質はその生物種の本質的な成分とは呼べないとすると、その実在は否定されないにしても、希薄になるのではないだろうか。これは反実在論でいうところの「便利な虚構」ということではないが、その生物種を定義するのに「なくてもよいもの」ということにはなるだろう。もっとも、生物種を自然種（第8章参照）と見なさないという考え方からすると、生物種は自然種（実在）ではないので、そこに含まれる酵素の実在性もどうでもよいかもしれない。生物種は生命システムの発展過程で動的に形成されているものと私は考えるが、その場合でも、水平伝播で獲得された遺伝子は、その後の進化に大きな影響を与えない限り、無視して考えることができると思う。

これに加えて、酵素は自然種（自然の秩序を表した分類：第8章参照）なのかということも議論できるだろう。生化学の教科書を読む限り、酵素はタンパク質でできた生体触媒と明記してあり、自然種であるように思われる。ところが、単なるポリペプチド（アミノ酸が一続きに結合したもの）でも、わずかなら何らかの触媒活性を示すことはありうる。もちろん、進化を経て優秀な触媒機能を獲得した酵素は数多く存在する。しかし、そうした酵素と単なるポリペプチドとの差は何かといったとき、単なるポリペプチドであっても実はわずかな酵素活性があったり、進化の過程で、もとは酵素活性をもっていたのに、その後、構造タンパク質になったクリスタリン（眼の水晶体の主要タンパク質）のようなものもある。構造的にそっくりであっても、片方は酵素活性をもち、他方はもたないとき、前者だけを酵素と呼ぶのだろうか。これは少なくとも物質としての実体に根ざした分類ではない。酵素活性は、いわば酵素タンパク質がもつ性質である。しかも、上にのべたように、さまざまな構造モチーフをもつことにより、そっくりなタンパク質でも大きく異なる酵素活性を示すことがありうる。活性で分類した酵素が、物質として、構造に基づいて分類したタンパク質と適合しないこともたびたびある。こうなると、酵素概念は20世紀初頭の性質としての酵素というところに逆戻りしてしまう。おそらく、構造的に分類されるタンパク質は自然種であるが、酵素や酵素の分類は自然種を表していないと思われる。

こうして、話は複雑になってくるが、科学的推論の形式、科学的説明のあり方、実在論をめぐる問題、これら本書の前半で取り扱った問題が、現実の科学研究の中で、複雑に絡みあっていることが分かるはずである。一般的な科学哲学の議論の中でなされるきわめて単純化した説明モデルなどではわからない、繰り返し異なる方法で行われる研究に基づく複雑な説明のしくみがある。また、単に電子は実在するかというような形式的な議論を離れて、酵素の実在性が、さまざまな研究によって少しずつ高められてきたものの、まだまだ分からないことも多いというこ とが理解されるであろう。最初に述べたように、科学は未来に真理を想定しているということは、こういうことを意味している。今現在、かなり確信をもって提示できるモデルがあったとしても、それは、これからの研究によって、さらに確実にしていかなければならない。研究の方法も、今すぐに思いつかないような新しいものが登場してくるかもしれない。こうして、いまあるモデルや理論を大切にしつつも、さまざまな実験を行い、その問題点を探っていくことがつねに求められている。どんな科学的真理も暫定的な真理であるが、しかし今考えられる最善の真理ということもできる。

6　氷はなぜ滑るのかという問題

科学はつねに動的な研究活動でできていることのよい例が、まだ明確に分かっていない現象に関する科学理論である。話は変わって、最近研究が進んでいる物理化学の問題を取り上げる。

読者の皆さんは、氷がなぜ滑るのかについて、どう思うだろうか。そんなことは当たり前ではないか。氷の表面は溶けて水があるので、滑るのが当然だ。などと思っていないだろうか。スケートとの摩擦《まさつ》でとけるのではないかとは誰しも考えることである。もう少し難しいことを知っていると、水が凍るときに体積が増すので、その逆に、スケートのブレードなどで圧力をかけると、氷が溶けて水になり、それでよく滑るのではないかなどとも考えるかもしれない。氷が滑る理由は、長年研究されているが、決定的なことは分かっていないらしい。つい最近、*Nature* に載った記事（Bonn 2020）によると、氷の表面の詳しい観察・測定によって、少しずつ理解が深められているのだそうだ。

そもそも、氷の表面に薄い水の層が存在することはわかっていたが、しかし単なる水なら粘度が低いので、上から押されればすぐに押し出されてしまい、潤滑剤にならない。また、圧力で氷が溶けるのは、氷点下ごくわずかな温度のときだけで、マイナス20度の氷でもスケートが滑る理由は説明できない。そのため、上に挙げたどの考えも正しくない。Canale et al.（2019）の研究では、氷の表面に直径数ミリメートルの小さなガラスビーズを載せ、それに接触させた音叉を使って水平方向と垂直方向の振動を加え、それに対する応答を調べることによって、ビーズと氷との摩擦を測定した。その結果、氷の表面には薄い水の層があるが、それは水と氷の中間的な性質を持ち、粘度と滑りやすさの両方を実現していることがわかった。今のところ、その実体の詳細は分かっていない。特に、アイススケートに最適な氷の温度がマイナス7度なのはなぜか、また、氷以外の他の物質ではどうしてスケートができないのか、など分からないことが残るとされている。

氷の構造は水と違って、内部に隙間の多い構造をとることが知られている。圧力を掛けて氷の結晶をつぶすと、液体状の水になるかと思われていた。これも *Nature* に載った解説記事（Tse 2019）によると、1984年の研究では、77Kという低温の氷に圧力を掛けると、分子の整列が乱れたまま高密度になった氷（高密度非晶質氷HDA）になることが分かっていた。圧力を下げると密度が下がるが、ふつうの氷ではなく、低密度非晶質氷（LDA）に相転移することが分かった。最近の研究により、HDAとLDAにおける水分子間の結びつきによってできる構造が、水とも氷とも異なる特殊な構造であることが分かってきたそうだが、まだその詳細は分かっていない。

上述の話から分かることは、水という一見きわめて単純な物質のもつ性質の複雑性である。前に述べたマラテールによる水の透明性の説明では、水分子の基本的な性質から還元的な説明ができるということを紹介したのだが、水分子が集まって氷をつくるということさえも、まだまだ基礎的な研究が追いついていないという現状がわかる。水分子は水素原子2個と酸素原子1個からできたきわめて単純な分子である。現実の水や氷は水分子が集まったものであるが、その集まり方ですら、まだ完全に解明できていないのである。おそらくこれ以上単純な物質の集合体はないと言ってもよいだろう。氷の表面が滑ることは、スケートに限らず、スキーやそりなど、人間の活動にとってきわめて基本的な問題である。高圧下とはいえ、氷が示す別の状態の説明がまだできないというのも驚きである。こうした素人目にはきわめて単純かつ基礎的な問題が、物理学的に解決していないということは、どう考えたらよいのだろうか。マラテールの定義によれば、これは創発ということになる。しかし、創発と言ってみたところで何も解決にはならない。

世の中の人々の理解では、自然科学の進歩によって、身の回りにあるさまざまなものの科学的理解が進み、これから世の中で起きることの予測にも活かせると信じられている。しかし、水の構造ですら完全には解明されていないのである。他のもっと複雑な物質については、何も分かっていないといってもよいくらいなのではないか。いま分かっていると思われていることは、ほんのわずかな知識にすぎず、世界を理解するための科学知識は全く足りないのではないか。そんな気持ちにもなる。科学を過信してはいけないという言葉も当然という気がする。過信どころか、何らかの意味で頼りにすらできないのかもしれない。そんな悲観的な感じももってしまう。では、いま世の中にあふれている科学知識というのは一体何なのだろう。本当に意味のある知識なのだろうか。ますます疑問を深める結果になってしまうかもしれない。

第7章

科学の変化と科学革命

ここでは、オカーシャの『科学哲学』の記述に沿って、時代による科学の変化を扱うが、特に、トマス・クーンのパラダイムをめぐる議論を紹介する。その上で、私自身の生物学史の研究を紹介し、科学の変化の要因として、社会と科学の関係を考える。

1　論理実証主義の科学哲学の考え方

オカーシャによれば、論理実証主義では、哲学を科学的なもの、合理的なものにすることを目指した。そのため、「発見の文脈」と「正当化の文脈」は異なると考える。発見の経緯がどのようなものであれ、最終的に発表する段階では、合理的なものになっている必要がある。言い換えれば、観察事実から適切な科学理論を客観的な方法で導き出すことができると考えた。その一方で、論理実証主義者は科学史を軽視していたとオカーシャは批判する。

科学者の立場で言うと、「正当化の文脈」は現実に科学者が使っているものである。実際に何かを発見するときは、ほんのわずかなきっかけや偶然によることが多いかもしれない。しかし、論文を書くときには、そこで発見したことを最初から目的として計画した研究だったという形でまとめるのが普通であり、そのようにするのが、人に理解してもらうのに一番都合がよい。口頭発表では、稀に、こういうきっかけで新しいことを見つけたと言うようなことから話す人もいるが、正式の論文でそのような書き方をすることはまずない。どんなきっかけがあったにしても、全体的に論理的整合性が求められるので、その論理に従って説明するのが一番わかりやすいのである。論理実証主義の考え方は、この意味では正しいと思われる。しかし、個人を超えた科学の歴史を考察する際には、異なる個人間で整合性がつねにあるわけではなく、その意味では、もう少し叙述的な科学史の展開もありうる。その際、科学の変化・進歩をどのように特徴付けるかは、科学哲学の問題でもあり、それは科学だけでなく、社会の歴史とも密接に関連している可能性がある。

2　トマス・クーンの考える科学革命

この節と次節では主に私の考えを述べることにする。「科学革命」という言葉は、元来、17世紀の近代科学の誕生に対して、バターフィールドが1949年に用いたScientific Revolutionに基づいている。さらに1957年、アレクサンドル・コイレが、アリストテレス主義における閉じた世界像が無限の宇宙へと変換した大きな世界観の転換を強調した（Koyré 1957）。その場合、ガリレイやニュートンも、新時代を作る一部ではあっても、特別な立役者とは考えなかった。クーンはバターフィールドやコイレの科学革命・天文学革命を、小文字で複数形の科学革命として利用した。つまり、科学のさまざまな分野で、何度も起きる変革を考えた。

トマス・クーンはもともと物理学を専攻し、博士論文をまとめる過程で、科学史に関心をもった。それから科学哲学を勉強した。パラダイムの概念は、パラダイム概念を考案し、1962年に『科学革命の構造』を著した（Kuhn 1962）。パラダイムの概念は、科学だけでなく、多くの文化的分野にも影響を与えた。『科学革命の構造』の概略は次のようなものである。科学の発展は連続的ではなく、稀に起きる科学革命と通常科学の時期に分けられる。通常科学は主要理論である単一のパラダイムのもとで実施されるパズル解きであるが、次第に理論と合わない事実が発見されるにつれて、危機を迎える。危機は科学革命を引き起こし、新しいパラダイムが登場する。新しいパラダイムのもとで新たな通常科学が行われる。

ここでパラダイムparadigmという言葉は、元来は手本・規範を表している。クーンは当初、確立した科学的業績や手本となる教科書の意味でこの言葉を導入した。しかし、『科学革命の構造』の中では、話が進むにつれて、一般的な理論の枠組みや世界観というような意味に転用され、それが世間で使われるパラダイムの意味になっている。パラダイムは一時期には一つだけが君臨し、しかもその転換は宗教の選択のようなもので、パラダイム選択に合理的なアルゴリズムは存在しないとされた。これに対し、これは科学の現実にはそぐわないのではないか、という批判が集中した。クーンはパラダイムが転換する科学革命の例として、コペルニクス天文学、ニュートン力学・光学、ラボアジエによる化学革命、ダーウィンの進化論、量子力学の誕生などを挙げた。しかし、それぞれの時代において支配的だったとされるパラダイムの中身を考えると、一体何を指してパラダイムと言っていたのかはかなり曖昧である。もちろん、すでに述べたようにパラダイムという概念自体も多義的ではあったが、クーンがパラダイムという言葉で呼びたかった研究の中身も曖昧だと思う。確かにニュートン力学ならば、有名なニュートンの三法則がそれだということはできるだろうし、量子力学ならば、量子仮説と波動方程式でよいだろう。電磁気学ならマックスウェルの方程式がある。物理学ではこのような代表的な方程式群があるので、それをパラダイムと呼ぶことはできるかもしれない。しかし、その他のものについて、このような明白な形でのパラダイムがあるかというと、私は疑問に感じる。少なくとも、力学や電磁気学なら、もとになる方程式を使いこなすことで、あらゆる問題が解けるし、解けなければならない。しかし、化学でも生物学でも、ラボアジエやダーウィンが言ったことだけで、他のあらゆることが導き出せるわけではない。クーンの話は、せいぜい、物理学に限定されるのではないかと思う。

3　通常科学とパズル解きについて

パラダイムとセットになっているキーワードが通常科学 normal science である。その活動はパズル解き puzzle-solving から成り立っているとされた。通常科学は「普通の科学」、「凡人の科学」と思われがちだが、本来、norm というのは規範を意味しており、パラダイムという規範のもとで営まれる科学的活動を指していると考えるべきであろう。つまり、規範に基づく科学、あるいは型にはまった科学研究であろう。Normal science の normal は規範 norm から出た言葉であるが、野家啓一（2008, pp.154-155）によると、クーンの初期の弟子だった訳者の中山茂氏は、そのことを直接著者に確かめ、特に規範的科学 normative science ではないとの答えだったという。規範的科学だとそれ自体が規範になってしまうので、その答えは当然かもしれない。それでも、「規範＝パラダイムに基づく」、「規範に適合した」というような意味合いが残ってくると考えてよいのではないかと思う。なお、ポパーはこの点を問題としており、クーンの意味での「通常科学」の研究者は本当の科学者 pure scientist ではなく、応用科学者 applied scientist であるとしている(Popper 1970)。

このことをもう少し別の角度から検討してみたい。私がすでに何度も述べてきているように、科学研究を、ネットワークの網目を修正したり細かくしたりする作業と考えた場合、通常科学というのは、まさしくこうした活動ということになる。すでに図5cで示したように、科学研究では新たな仮説を形成する際に、いくつもの可能性を考え、そこから得られる帰結について、それぞれ検証するという作業が必要になる。そうした作業は、基本的には演繹的なもので、決まった手続きに従って実験を行うという点で、パズル解きにも似たものに見える。現実には、一度証明されたと思われる仮説でも、そこから得られる帰結は多岐にわたり、最初の実証のときにまとめて検討することはとてもできない。そのため、最初に一旦証明されたと考えられる仮説(新説)に基づいてさまざまな帰結を考え、それらを一つ一つ検証する作業は、決してくだらないものではなく、新説の信頼度を高めるために必須の作業である。これを通常科学と呼ぶことにも問題はないと思うが、ただ、気になるのは、その場合のパラダイムの位置づけである。私が模式的に示したネットワークの全体がパラダイムに当たるのだろうか。それとも、その一部なのだろうか。後で出てくる研究プログラムについては、複数のものが共存して競争しうるということを考えると、このネットワークのパターンにも少しずつ違ったものがあり、それぞれが異なる研究プログラム、つまり、異なる研究グループにおける支配的考え方となるのかもしれない。それにしても、私としては、通常の科学研究には、さまざまな帰結を検証するところだけではなく、多様な仮説をアブダクションで生成するところも含まれると考える。そうなると、これはクーンが考える通常科学とは異なるのかもしれない。私なりのクーンの解釈は後にも示すが、クーンは本来の科学研究を正確に捉えていなかったのではないかと思う。

4　通約不可能性とデータの理論負荷性

オカーシャの本で紹介されている標記の概念は難しい言葉だが、通約不可能性 incommensurability とは、異なるパラダイムの間では、同じ言葉の意味も違っていて、話が通じないということを意味している。もともとは、ギリシア時代の数学で、正方形の辺と対角線、つまり1と$\sqrt{2}$が共通の尺度で測れないことを意味していたとされる。パラダイム間の通約不可能性が事実であるかは議論のあるところである。クーンによれば、質量という概念も、ニュートン力学と相対論では意味合いが異なるというのである。そのため、パラダイムが転換するパラダイムシフトは合理的に起きるものではなく、宗教の選択のようなものだとする。しかし、転換前と後のパラダイムが本当に通約不可能なら、ただ単に両立してもよいはずで、これはパラダイムシフトという概念と矛盾する。

データの理論負荷性 theory-ladenness of data も難しい概念だが、"laden" は "lade"「積む」の過去分詞で、ドイツ語の「積む」という動詞 laden とも同じ語源である。データの理論負荷性は、どんなデータでも背景にある理論に基づいて作られているというもので、客観的で純粋なデータはほとんど存在しないとされた。科学的な測定報告は必ずその背景にある理論に基づいているのは確かであるが、だからといって、理論が先にあってデータは添え物という考え方は、科学の正当な考え方とは言えない。

この二つの概念も、私の研究モデルでは簡単に理解できる。注目する現象について異なるネットワークを想定する科学者がいた場合、同じ実験でも、その意味は当然異なってくる。つまり、理論負荷性がある。また、そもそもネットワークに同じノードが載っていない、あるいは、ノードをつなぐエッジのつなぎ方が異なるとすると、ノードの意味が違ってくるので、通約不可能性も理解できる。これについては、クーンのパラダイムでなくても、理論の対立があるときには起こりうることなので、必ずしも、クーンのパラダイム特有の問題ではないのかもしれない。

5　クーンと科学の合理性、クーンの遺したもの

クーンの主張は、科学の合理性に疑いを投げかけるものと受け取られたが、クーン自身は、『科学革命の構造』第2版の後書きで、それを否定している。しかし、パラダイム選択に中立的なアルゴリズムはなく、パラダイムシフトは、心理学のゲシュタルト・スイッチのようなものだと明言した。こうして、クーンの主張は、科学の相対主義化につながる。しかし、オカーシャによれば、こうした相対主義には問題がある。「真理はパラダイムと相対的である」という言明は「私は嘘つきだ」というのと同様、真偽どちらとも言えないからである。ラカトシュ(Lakatos 1970)によると、ポパーの考えでは、科学の変化は合理的なもので、少なくとも合理的に再構築可能なものであり、発見の論理という領域にあった。しかし、クーンにとっては、一つのパラダイムから別のパラダイムへの変化は、理性的な法則で支配されない神秘的な転換であり、発見の心理学の領域にある(p.92)。この溝を埋めるのがラカトシュの役割と考えた。

オカーシャによれば、クーンの研究以降、科学哲学にとって科学史は無視できなくなった。また、科学の社会学的文脈にも注目することとなった。特に科学の社会学におけるストロング・プログラム運動、すなわち、科学も社会の活動の産物だという考え方に影響を与えた。さらに、人文社会科学における文化相対主義 social constructionism の興隆にも寄与した。しかし、クーン自身は科学を強く擁護する立場であったので、これは皮肉な結果だとオカーシャは結ん

でいる。

科学革命という言葉をクーンが多用したものの、現実に科学革命と考えられるものは多くない。少なくとも、一つのパラダイムが単独支配するような時代が明確に区分できる学問分野は多くない。もともと大文字で科学革命と呼ばれた17世紀の天文学・物理学の大変革は、科学革命の名に値するだろうし、それはクーン以前にも多くの科学史家が明らかにしたことである。その他の、ラボアジエの化学革命やダーウィンの進化論革命が、果たして科学革命の定義に合致するのかどうか、私は疑問に感じる。しばしば、科学上の大きな発見があったときには、後の時代の人々が前の時代の人々の活動をことさらにおとしめるように思う。ラボアジエにしても、自身は酸素を発見したわけではなく、ものとしての酸素（脱フロギストン空気）を発見したプリーストリは、フロギストン説で理解していたのである。前にも述べたように、フロギストン説自体、原子・分子で化学反応を理解するという新たな化学のやり方を実践したものであり、特に新たな元素を発見できなかったラボアジエが悔し紛れに否定しているだけのようにも思える。しかもラボアジエは熱素という存在しない元素を想定したのであるから、彼の研究方法が体系的に正しかったとも言えない。化学の「革命」は実は徐々に段階的に起きたといってもよいのではないだろうか。

また、ダーウィンの進化論でも、進化という概念自体はラマルクの発案である。ダーウィンが示したのは、自然選択が進化の説明になりうるということであり、しかし、遺伝子に基づかない説明は何も証明したことにはならなかったはずである。後のダーウィン主義者と呼ばれる人々がダーウィンを担ぎ上げたために、いつまでもダーウィンの進化論という言い方が定着していることにより、ダーウィン以前と以後に断絶があるように見えるだけで、今の進化学説は、ダーウィンが考えたものとは全く異なる精緻なものになっていると私は考える。この場合にも、変化は徐々に起きたといってもよいのではないだろうか。

6　クーンの発想の原型

これからさらに、クーンの考えを検討してみよう。クーンの考え方には、心理学や社会学の考え方があることが指摘されている。ゲシュタルト Gestalt とは、ドイツ語で「形」のことであるが、ゲシュタルト心理学では、人間の認識がゲシュタルトと呼ばれる全体的枠組みに沿って行われると考えた。クーンは『科学革命の構造』の序文でゲシュタルト心理学に影響を受けたことを述べている。さらにクーンが遺したノートの Galison (2016) による分析によると、1949年頃からクーンは、幼児が速度概念を習得する段階を理論化したピアジェの発達心理学を読み、科学の歴史的発展も同様と考えた。また、理念型 Idealtypus 概念をツールとして社会現象を分析しようとしたマックス・ヴェーバーの社会科学方法論から、パラダイムの発想の原型を得たというのである。その頃クーンは物理学の博士論文をまとめていたが、すでに物理学の研究を終わりにして、科学史・科学哲学へと方向転換しようとしていて、こうした心理学や社会学の本を勉強していた。現在、パラダイム概念が主に使われるのは社会科学・人文科学などであるが、それは、もともとこの概念が文系から入ってきたものだからで、科学でもオーソライズされたと見なされたことによっているのであろう。パラダイムという理論を優先し、実験データをおろそかにするという、普通の科学者ではありえない考え方をクーンが考えた背景には、こうした理由があったようである。同じことは、クーン自身の研究についても言える。クーンが『科学革命の構造』以前に発表していた科学史の研究書については、科学史の分野ではあまり評価されていない、つまり、自身の科学史研究の結果として『科学革命の構造』ができたのではないとも言われている（Brush 2000）。

7　パズル解きとしての通常科学

クーンが書いていることの中に、通常科学はパズル解き puzzle-solving だという表現があることはすでに述べた。パズルには答えがあり、解き方というパラダイムを体得していれば、解答にたどり着くことができるというものである。ここで言うパズルは、ジグソーパズルやクロスワードパズルを指している。それは、『科学革命の構造』（Kuhn 1962/1970, p.36）で明言されていて、特別な比喩ではない。つまり、本当にそう思って使っている言葉である。『科学革命の構造』の中でpuzzleが84回、puzzle-solvingが12回（表題を除く）使われていることでも、この言葉の重要性がわかる。しかし、本当だろうか。クーンがはじめに学んだ物理学、特に応用的な物理学ならば、確かに答えがあるかもしれない。多くの物理学者がすべての自然科学の問題が物理学で解けると思っているのも同じかもしれない。しかし、現実世界を相手にする一般的自然科学では、答えがあるとは限らない。クーンは、がんの研究を平和の追求と併記し、これらには答えがないとして、パズル解きに含めていない（p.36）。１９６２年当時の認識では、生物学は謎が多すぎたのかもしれないが、クーンは科学を本当にはわかっていなかったとも言える。パズル解きとしての通常科学の概念の成立には、クーン自身の物理学研究の体験が関わっていたと考える研究者もいる（Beller 1999, de Lucas 2011, Galison 2016）。

科学史の研究を始める前に、クーンは物理学の研究で博士の学位を取得している。博士論文の内容はその後3編の学術論文となっている。うち2編は*Physical Review*という物理学のトップジャーナルに掲載され（Kuhn & van Vleck 1950, Kuhn 1950）、もう1編は応用数学の雑誌に掲載された（Kuhn 1951）。博士論文の審査にも当たった学者によって、その後、その分野の研究の進歩を紹介した総説でも取り上げられ、小さな分野の中での貢献としては優れたものであったらしい。内容は、アルカリ金属の凝集エネルギーを量子力学の計算で求めるということで、それぞれの原子の原子軌道を線形結合する方法（初期の分子軌道法で用いられた）ではなく、結晶の対称性に基づいて最初から計算するＷＫＢ法の改良法を開発したということのようである。しかしまともに解くことはできないので、いろいろな近似をあてはめてうまく計算することで、実測値に近い値を得ることができた。しかしその手法自体は、後になるともっとよい方法に取って代わられた。こうした状況を見ると、クーン自身の物理学研究は、あくまでも、先生に与えられた問題に対して、そのときできうる最良の解を与えたという、まさに「通常科学」そのものだったようである。

このことは、物理学者兼科学哲学者である Peter Galison 教授（ハーバード大学）の論文でも述べられている。物理学を専門とする研究者からみると、１９５０年頃のトマス・クーンの物理学の研究は１９３０年代に行われていた研究の蒸し返しで、特に難しい計算もなく、通常科学そのもの、つまり、お手本に従ってただ計算するというものだったようである。しかも、それまでの他の計算に比べても大差ない結果しか得られていなかった。また、クーンは戦時中にドイツ軍の通信を攪乱《かくらん》する妨害電波を出す研究もしたそうだが、軍事研究とはいうもののきわめて個人的な努力の範囲だった。そのため、Galison の考えでは、クーンは最先端の物理学に接していなかった。それが、パズル解きや通常科学という概念につながったようである。

Galison の考えでは、クーンの理論は、15～17世紀の科学や20世紀初めの量子論の歴史の分析に限定され、それを一般化するのは無理だということである。つまり、一時代には単一のパラダイムだけが支配するという考え方は、解析対象となった上記の時代のそれも特定の分野だけに当てはまり、現代のように多様な理論が並立している状況には対応しない。また、いくつものパラダイムが次々に転換するところまで解析が及んでいなくて、一度転換が起きたところだけを見ている。ヒッグス粒子の研究のように２５００人もの研究者が関わる巨大プロジェクトがいくつも存在する現代科学を考える参考にはならないそうである。第6章で述べたように、「酵素」という概念は、一時は新しい生化学・分子生物学のキーワードとなったのだが、時代によりさまざまな研究方法が適用され、次第に精緻化されてきたものの、その結果として、再び曖昧な概念に逆戻りしてしまったと私は考えている。少なくとも生物学分野では、大きな変革があったものの、パラダイムシフトと呼べるようなことは起きていないし、むしろ、何度も何度も考え方は行きつ戻りつしているようにも思われる。

8 ラカトシュの研究プログラム論

パラダイムという言葉の多義性を避け、ラカトシュは研究プログラムという概念を提案した。論文（Lakatos 1970, 1978）で、ラカトシュは、まず、科学において何でも反証できるという独断的反証主義を批判した。もしそうなら、科学の正しさは、論理的な整合性だけになってしまうからである。次に、方法論的反証主義について、何でもたった一つの反例によって反証できる素朴な反証主義に対して、洗練された反証主義を提唱する。その要点は、より優れた代替理論が提示されなければ反証は成立しないということである（p.116）。さらに、進歩的問題転換を定義する。これがパラダイムシフトの改変版だが、明確な進歩の概念を含んでいる。こうして、ラカトシュは、ポパーの反証可能性理論とクーンのパラダイム理論を組み合わせ、独自の研究プログラムの進歩理論として「洗練された方法論的反証主義」を提案した。

ラカトシュは、研究プログラムには「堅い核」（ハードコア）と「保護ベルト」となる付加的な仮説群があるとし、「堅い核」は反証の対象とならないこと、検証結果に基づく調整を「保護ベルト」となる付加的な仮説群の部分で行い、場合によってはこうした仮説を入れ替えて「堅い核」を守ると述べた。新たな問題をどんどん解決していける前進的なものであれば研究プログラムは成功しており、同じところを堂々めぐりしている退行的なものならば研究プログラムは失敗ということになる（p.133）。科学革命に導く「決定的な実験」と言われるものがよく指摘されるが、実際には、たった一つの実験で、それまでの理論体系全体が覆されることなどはない。私が前に述べた、「しがらみ」の強さによって、簡単に諦めることのできない部分と、比較的簡単に入れ替えられる理論があるとすれば、それを本当に入れ替えるには、アブダクションを可能にする多数の新たな仮説の提案とその検証が必要になる。パラダイムと異なり、研究プログラムは世界観 Weltanschauung（ドイツ哲学で使われる「非常に大きな世界の見方」。なお、最近この言葉は「アニメの世界観」などとかなり軽い意味で通俗的に使われているが、元来の意味はもっと壮大なものである）ではない。クーンの通常科学は単一のパラダイムが支配するという一元論であり、これはあるべき姿ではない。ラカトシュは、いくつかの研究プログラムが競争し理論的な多元論状態になるのが科学のあるべき姿としている。一つの研究プログラムがなくなるのは別のものに取って代わられるときで、それは新しいものがより大きな発見的能力を持つからだと考えている。後付けの論理のようにも見えるが、クーンのパラダイムシフトよりはもう少し合理的な転換を考えている。

9　語彙の統計解析による現代生物学史研究

ここでは、20世紀後半から始まった生物学の大きな変化に関して、論文に使われる語彙の統計解析から歴史を読み解く私の試みを紹介する。科学史の研究では、これまで、ある時期の特定の主要な科学者に注目して、その論文や著書をくまなく調べ上げるという手法が一般的であった。それに対して、ある期間の科学論文のすべて（重要なものすべて）について、先入観なしに調べるという手法を、私たちは提案した（Sato & Sato 2019）。これはおそらく現代生物学でしかできない方法であろうが、50年の歴史から何が読み取れるか説明したい。以下には、

2018年の生物学基礎論研究会で発表したときの要旨に、図への参照を加えて転載する。

生物学の歴史・哲学の考察は従来、研究者が特に注目する研究やターゲットとなる学者の思考過程を再構成するなどの形で、いわば主観的に行われてきた。これに対し、メタ研究は、研究領域と時間の広がりの中で、過去に行われた研究を俯瞰する研究であり、科学史・科学哲学に対して客観的な知見を与える可能性があるものの、まだ始まったばかりである。私は特に「生物の生き物らしさ」に対する認識が生物学の中でどのように機能しているのかに注目して、メタ生物学研究に取り組んできた。まず、アメリカ生物工学情報センター（NCBI）のデータベースPubMedに採録された32の主要生物系学術誌（主に分子細胞生物学の文献）を対象とし、1965年から2014年までに掲載された全論文の登録情報（本文は含まない）をXMLファイルとしてダウンロードし、BaseXというXML処理システムに取り込んだ。さらにRソフトウエアのtm（テキスト処理）パッケージを利用して、タイトルと要旨に高頻度で含まれる用語として322語（語幹のみ）を抽出した。これらの語について、その出現頻度の年次変化に基づいてクラスタリングを行った。その結果、年代とともに減少するクラスター1、年代とともに増加するクラスター3、大きな年次変化がないクラスター2に分類された（図10A）。さらに平均情報量を求めた結果、1987年と1997年に極大が見られた（図10B）。このことは、これらの年を境として生物科学論文に使用される用語が大きく変化したことを示しており、分子細胞生物科学が三つの時代に区分されることを示している。それらを生化学期、遺伝子クローニング期、ゲノム期と呼んでおく。各時期における研究方法、研究材料、研究対象、研究目標、研究態度などに興味深い特徴がある。生化学期では方法的な記述・実験そのものの記述が中心で、客観的な姿勢が目立つ。一方、ゲノム期では function、role、mechanism などの用語が著しく増加し、essential や important などの強い肯定表現も見られる（図10C）。単なる因果関係を超えた機能・役割の強調は目的論を導入することになり、一般人にもわかりやすい反面、生命に対する考え方に深刻な影響を及ぼす恐れがある。おそらくこれは、研究費獲得に対する成果の社会的還元として、研究成果を誰にでもわかる形で強調することが広まったためであるが、生命を冷徹《れいてつ》に見つめる視点を提供する活動の重要性を改めて認識させられる。

このように、50年というかなり短い期間の間に、生物学研究論文で使われる用語には、大きな変化があったことがわかる。このデータは、専門用語と非専門用語の両面で見られ、専門用語が変化するのは、新たな発見などに伴う当然のこととしても、非専門用語、つまり論文を記述するための用語においてすら、大きな表現上の変化が起きたことは不思議である。このような変化に対しては、もはや科学革命のような言葉を当てはめるのは不適当であろう。生物系の

図 10　生物学論文のタイトルに使われる語彙の使用頻度の年次変化に基づくクラスタリング

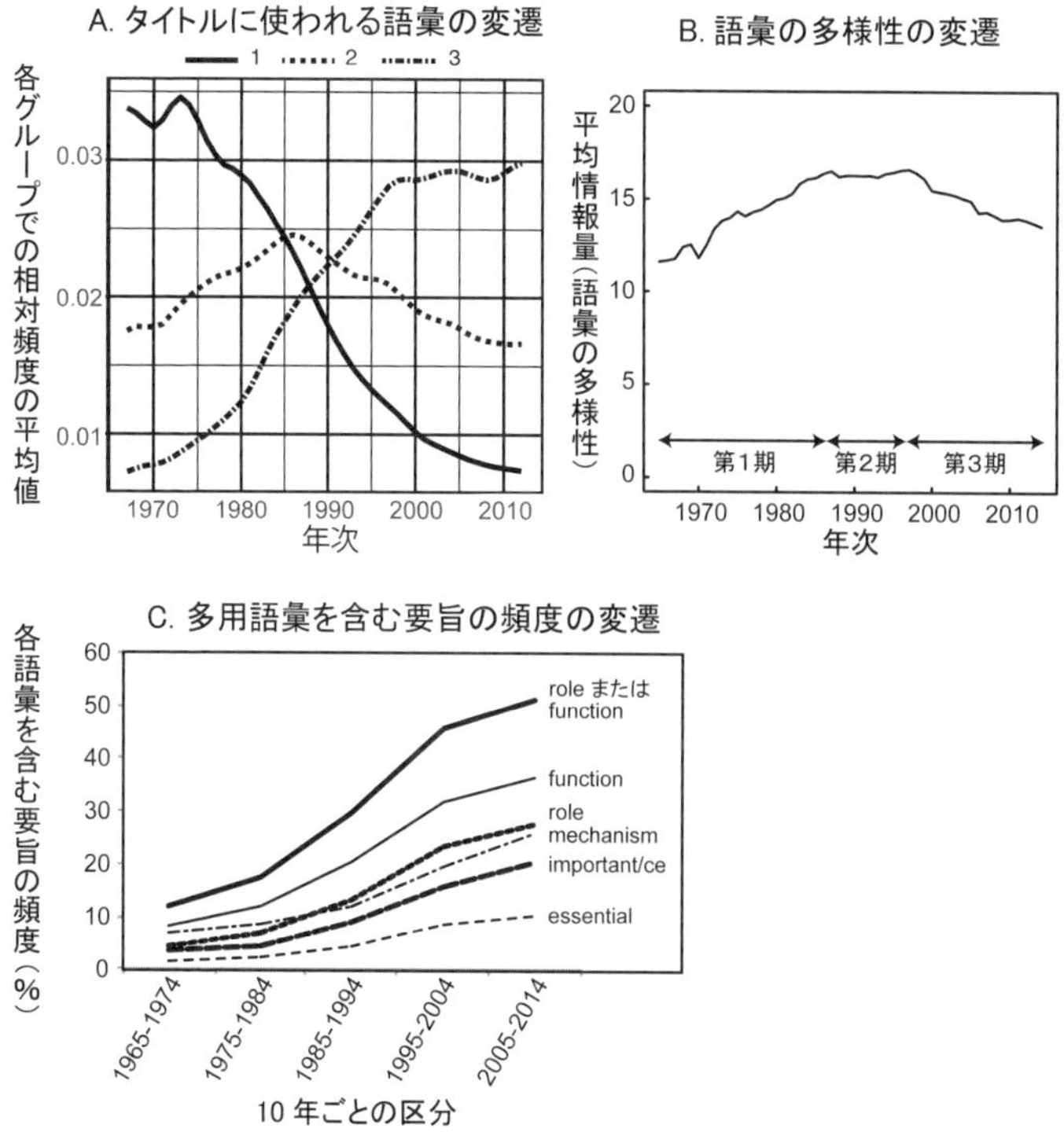

（A）タイトルに使われる語彙の変遷、（B）語彙の多様性の変遷、（C）多用されている語彙を含む要旨の頻度の変遷。
タイトルに使われる語彙は三つのクラスターに分類でき、A では、それぞれのクラスターにおける使用頻度の平均値を、年次に対してプロットした。B では、タイトルと要旨の両方において多く出現する語彙の多様性を平均情報量として求め、年次変化を示した。C では、非専門用語のうちで特に第３期に多用される語彙について、それぞれを含む要旨の頻度の変遷を示した。（Sato & Sato 2019 より改変）

科学を進める研究者やそれを取り巻く社会的環境が大きく変化していることを示している。

ここに示した統計解析が他の分野でもできるとよいが、かなり難しいと思われる。現在、ネットで使われる言葉などについては、詳しい解析がなされているが、材料となるデータがデジタル情報として利用できないと難しいため、一般的な書物や生物学以外の分野で解析を行うのは容易ではない。

ごく最近発表された「意味のない言葉」と題する生命科学関係の研究を評したコメンタリーがある（Marder 2020）。これは、最近の生命科学関係の論文や研究費申請の審査において、「記述的」や「知識を増やすだけ」といった言葉が悪い意味で使われ、逆に、「メカニズム」や「インパクト」、「新奇」が好評価の意味で使われるという。私自身も経験があるが、最近の論文審査では、「記述的であり、メカニズムを解明すべき」という理由で却下されることが多い。審査員はおそらく若い研究者で、こうした教育を受けてきているため、新しい観察結果を報告しても、記述的だからだめ、何かメカニズムを明らかにしなければだめ、という判断を下すようである。新奇性やインパクトも実際にはほとんど意味のない言葉で、評価する人が気に入るかどうかを表しているに過ぎないと、Marder は言う。私も同感である。ここで、「メカニズムを探すことは、対象としている現象を構成する部分過程を探すことに過ぎない」と彼女は言う。さらに、審査において「インパクト」を求めるのは、将来その研究が及ぼす影響を予測することに他ならない。人間は予測が苦手であるにもかかわらず、科学者は将来何が起こるか分からない不確実性が嫌いなので、そうした審査が行われるのだろうという。現代の生命科学研究を進める上で、どのようにしていくべきなのか、この著者は、もっと謙虚に考えよと述べている。

10　列挙する科学発表

こうした語彙の変遷はパラダイムや研究プログラムで理解できることだろうか。おそらくそういう問題ではなかろう。クーンやラカトシュはおそらく物理学くらいしか考えていなかったわけだが、物理学では言葉は変化しないのだろうか。確かに昔シュレーディンガーが提示した波動方程式そのものは変わらないので、現在の量子力学の研究でも式の立て方に変わりはないかもしれない。量子力学や量子化学の講義では、結構古い昔の名著が教科書に使われていることは多い。生物学では教科書自体がどんどん新しくなるので、教育の仕方もかなり違う。その分野の代表的な教科書があって、ずっと長く使い続けられるというクーンのパラダイム概念は、おそらく物理学の一部の分野に限られたことだったのだろう。今の物理学は、複雑系など新しいテーマも多いので、いつまでも古い教科書が幅をきかせていることはないはずだ。語彙の変遷は、新しいテーマの登場により必ず起きるようにも思えるが、上に述べたように、記述の仕方、記述に使う言葉が変わるという問題は、研究発表の態度や目的の変遷を反映しているように思われる。したがって、これはパラダイムや研究プログラムというよりも、科学と社会との関係の反映ということになりそうである。

最近気になるのは、学術的なプレゼンテーションが派手になって、詳しい原理を説明するものではなく、これもやりました、これも分かりました、というように列挙するようになっていることである。プレゼンは中身ではなく発表の技術ということを公言するサイエンスライターやコミュニケーターもいるが、こうした傾向はますます問題である。私が物理の研究発表を聞く機会は生物物理に限られるので、事情は生物学と似ている。また、化学に関しては、やはり生物学と同じように、プレゼンテーションは列挙的になっているように思う。どうしても、研究費獲得に対する成果の強調ということが大切になってくるようで、科学的な議論がおろそかになりがちである。研究費の成果報告会ならやむを得ないことかもしれないが、修士論文の発表会などでも、学生の発表が列挙的になっていることには危機感を覚える。まじめに、ひとつひとつ、自分の論理構成を話していく研究は地味に見えてしまう。たいそうな研究目標を掲げて、地球や世界のための研究であるようなところから話を始め、いろいろな研究の展開の可能性を通り一遍の言葉で披露するものの、最後はどこまで正しいのか分からない程度のお粗末な実験結果を披露するところに行き着く。「だったら、身の丈に合った話をすればいいじゃないか」といつも腹を立てていたものである。

こうした問題は、パラダイムや研究プログラムの問題ではなく、研究と社会との関係に関わることである。列挙的な発表は、パワーポイントなどのプレゼン用ソフトウエアが普及して、いくらでもきれいな図を大量に示せるようになったという技術的なこともあるだろうが、それを求めるニーズがあってソフトがつくられた結果なのだろう。おそらく、企業や役人の世界がこのようになっていることの反映なのではないかと思う。学術的なプレゼンテーションは、やはり、原理的な説明がなされてはじめて意味のあるものになるのであり、これもやりました、あれもやりましたなどと、成果を列挙して強調するのは是非やめてもらいたいと思う。あえて質問して、そうして列挙した一つ一つの項目について追及すると、多くの場合、実はそれほどきちんと取り組めていない場合が多く、ひどい場合はそもそも間違ったことをやっている場合もある。しかし、一言だけ項目を挙げるような形で列挙していては、多くの人にはその真偽がわからない。実は専門家はわかるかもしれないが、今の専門家どうしは、互いに研究補助をもらう立場であるのに、競争したりせず、いわば「きずをなめあう」関係にあり、互いに厳しい質問をしたりしないようである。こんなことを続けていては、日本の科学は早晩衰退してしまうだろう。

11　科学社会学・科学技術社会論・科学論

こうした問題は、科学哲学というよりは科学社会学やＳＴＳ（科学技術社会論）と呼ばれる学問分野の問題かもしれない。しかし、科学社会学はあくまでも社会学の一分野であり、その初期の代表的研究者であるマートンの回想文（1983）によれば、「科学の発展と、それを取り巻く社会や経済との結びつきをめぐる問題」を扱い（p. 31）、「科学の或る分野における科学者の社会的形成と学問上の発展との間の相互作用を経験的に検討する」（p.37）もので、統計学的な「内容分析」と数量的な「科学指標」を主な研究手段とし、科学者集団のもつ社会的特徴づけなどを行う。上に紹介した私たちの語彙分析もある程度、これに近いものと言えそうだが、研究環境や分野間の相互作用などに重きをおくようで、科学哲学や科学史と密接な関連をもつものということである。マートンの本の訳者である成定薫氏も加わって出版された『制度としての科学：科学の社会学』（1989）には、以下のようなさまざまな論点が並んでいる。

1　科学をめぐるイデオロギーの形成
2　「科学立国論」の系譜
3　科学におけるパトロネジ
4　世紀転換期アメリカにおける科学技術と大学

5　科学の生産性とその階層構造
6　科学者集団と産業化科学
7　科学技術に対する政策的対応
8　科学におけるジャーナリズムと大衆

これを見ると、科学社会学が対象としている研究領域がある程度明確になる。あくまでも、大枠としての社会がその時代の科学をどのように支え、あるいは規制し、科学という社会的活動をどのように形作るのかということがテーマである。一方で、科学に関する哲学的な考察は、科学論と呼ばれる分野でも行われる。岩波講座『哲学』第9巻と『現代思想』第10巻は、それぞれ、『科学／技術の哲学』と『科学論』と題され、科学や技術をめぐるさまざまな立場からの見解が述べられている。多くは従来どおりの科学哲学者による理論的説明のようであるが、興味深い話題も含まれるので、あとで科学技術を論ずるときに、もう一度振り返る。なお、『科学論』の方が少し古いが、上に挙げた成定氏の「科学社会学の成立と展開」も含まれる。また、クーンの「解釈学的転回」という論文の翻訳も含まれている。ここでは、参考書として挙げておくにとどめる。

ただ、私が疑問に思うのは、こうした社会学の研究者が本当の科学の現場を知っているのか、科学の問題に立ち向かえるのかという点である。科学の内容抜きで、周辺環境との関連を議論することが果たしてどの程度できるのか、政治的、経済的な影響を間接的に議論するに留まるのではないか、そうした懸念は、上で引用したマートンの回想の中で、クーンの思想形成に割かれているページの多さと、その内容のお粗末さでも実感される。すでに述べたように、クーンの物理学研究は、物理学としては今ひとつのものだったようだが、マートンは、クーンがハーバード大学で優秀な成績をおさめ、すぐに立派な経歴をたどっていることだけから、クーンの思想形成への周囲からの影響を推定している。内的な思想形成の内容に切り込むのは、やはり哲学の役割のようである。科学社会学という分野自体も多様なもののようで、文化相対主義の立場から科学を批判するものも含まれるようである。いずれにしても、本書の議論にはあまり役立たない。

第8章 科学における いくつかの哲学的問題

1 物理学の問題：絶対空間は存在するか
2 生物学における分類の階層性
3 生物種は自然種か
4 心はモジュール的か
5 心も動的に考える
6 ニューラルネットワークと人工知能

ここでは、オカーシャの『科学哲学』第6章で説明されている物理学、生物学、心理学の哲学的問題を扱う。なお、生物学については、初版（と日本語訳）では、生物学的分類が扱われているが、原著第2版では生物学的種は自然種かという、より高度な哲学的問題に変わっているので、両者を含めて議論する。最後に、「心」から人工知能へと話を展開し、私なりの考えを述べたい。

1 物理学の問題：絶対空間は存在するか

まず、オカーシャによる説明をまとめよう。ニュートンが物理法則を定式化し、計算ができるようにしたとき、物体の運動は何か決まった基準となる座標系に対して定義されていた。その際、人間には知覚できない何か絶対的な空間が存在すると考えられた。それに対してライプニッツは反論し、すべてのものは相対的位置、相対的運動しか定義できないという考えを述べた。ニュートンの考えでは、運動は物体の「素のままの事実」ではないので他のものとの関係でしか定義できないことになる。これに対して、ライプニッツの不可識別者の同一性原理principle of the identity of indiscernibles（ＰＩＩ）では、識別できないものは同一とされる。観測されるすべての運動は相対的なので、どの観測系をもってきても区別できないからである。しかも絶対空間に対する運動速度はわからない。

一言解説するならば、相対的運動という意味が直感的には分からないかもしれない。そもそも地球の自転、公転に加え、太陽系自体が銀河系の中で運動し、さらに銀河系はかなりの速度で回転しながら膨張する宇宙とともに運動している（秒速２４０km くらいで回転しているとされる）。たぶん、われわれはものすごい速度で宇宙空間を移動しているのだが、特に動いている感じはない。特殊相対性理論によれば、光速（秒速30万 km）に近い速度で運動する物体では時間が遅れ、また、相対的な運動速度も複雑な式で計算するものになる。しかし、光速に比べれば天体の運動ははるかに遅く、われわれ自身の運動によって、通常の観測結果に影響が出てくるようなことはない。

相対運動は等速運動なら基準系が変わっても変わらないし、互いに力も働かないので動いていることも感じないが、加速度運動を考えると、電車の発進・停止のときのように力が働くので、加速度運動をしていることがわかってしまう。つまり、古典力学における加速度運動の場合、絶対的な座標系に対する運動を考えざるをえないように思われる。オカーシャの本で紹介されているのは、有名なニュートンのバケツの実験である。バケツがその軸を中心として回転すると、中の水も回転し、へりがせり上がる（慣性力が働くように見える）。このとき、理想的には、バケツに対する水の相対速度はゼロとなるので、その部分だけ見ていても、水をせり上げている力の原因が分からないはずである。なぜ水がせり上がるのかを説明するには、回転加速度による力を考えなければならない。そのため、この加速度は絶対空間に対するものであるはずだという理屈になる。これに対して、ライプニッツは反論できなかったと、オカーシャは述べている。しかし、地球の重力があるという条件のもとでなければこの実験はできないので、絶対空間でなくても地球の重力場に対する回転というくらいのことで理解できるようにも思われる。

相対性理論が出てきても、特殊相対性理論は等速運動をしている系での相対性に留まった。一般相対性理論が出てくると、絶対静止系の存在は否定され、加速度運動していても、まわりのもの全体が逆に運動することの効果として、慣性力が説明できるようになったそうである。残念ながら、私はこのあたりのことまでは理解できていない。ところが、ヒッグス粒子の発見により、あらゆるものはヒッグス粒子のプールの中に浸かっていて、運動するとヒッグス粒子を引きずることにより重力（慣性）を生ずるとされた。ヒッグス粒子のプールが絶対空間に相当するものであるらしい。こうなると、抽象的な哲学的論争では解決がつかず、かなり複雑な物理学の理論によって、現実が説明されるようである。結局、これは科学哲学の議論の枠を超えてしまっていて、物理学の進歩に引きずられているようである。Falk（2018）はウェブサイトでこのあたりのことを解説している。その他にもいくつかのウェブサイトに解説があるので、参照してもらいたい。また、回転バケツの問題について、実際に実験をやってみると、ニュートンが思っていたよりもはるかに複雑なことが起きることも判明した。壁ではなく底だけを回転させた場合、中の水が外壁に押しつけられるときに、三角や四角の形になるという研究もある（Bach et al. 2014）。ニュートンの時代には、複雑な流体力学の問題までは想像できなかったので、中の水が壁と同じ速度で回転しながら壁に押しつけられてせり上がるという状態は、現実にはないのかもしれない（Mougel et al. 2015）。

2　生物学における分類の階層性

オカーシャの教科書では、生物の分類が階層構造をなしている理由を説明する二つの学派が紹介されている。一つは分岐学者で、分類は系統的関係を反映すべきで、共通祖先から分岐してきた経過を表す分類体系を作ると階層的になると考える。単系統群が自然の単位であると見なす。これに対して、表型学者は、生物の分類は、類似度に応じて分類群をまとめていくので階層的になると考える。もともと、リンネの分類はキリスト教の創造の概念の下でできていて、表型学者の立場を表していることになる。聖書には具体的に創造された生物種の記載はない（第9章、資料1）が、伝統的に、アリストテレスの時代から受け継がれてきた「自然の階梯」という考え方で、無生物から全生物種までを一列に並べて分類するということが行われてきた（ブルック他『創造と進化』pp.17-19）。つまり、生物の序列は分岐していないのである。そのため、きちんと並んだ生物種の間に他の中間種や絶滅種を挿入したり、或る種を除去するというようなことはありえなかった。また、ラマルクの進化論では、新たに自然発生した「下等生物」がこの階梯を順に昇っていって「高等な生物」に変化していくと見なした。その意味で、自然の階梯という考えは表型学者ばかりでなく、進化の問題にも大きく関わっていた。オカーシャの記述では表型学の説明が足りなくて、分岐学との違いが不明確になっていた。

オカーシャは単系統という概念を説明しているが、もう少し詳しく説明しておきたい。現在の「は虫綱」は、互いに側系統となる主な三系統（カメ目、有鱗目［ヘビ、トカゲ］、ワニ目）に加えて、鳥類（恐竜を祖先とする）も含む（図11A）。いわゆる「は虫類」は単系統ではない。単系統であれば、は虫類と言われるものが他の生物群から分離した単一の祖先をもつはずだが、そうはならないからである。ちなみに、ほ乳類は、上記のすべて（竜弓類）のもとから分かれ

図 11　動物と植物の系統進化

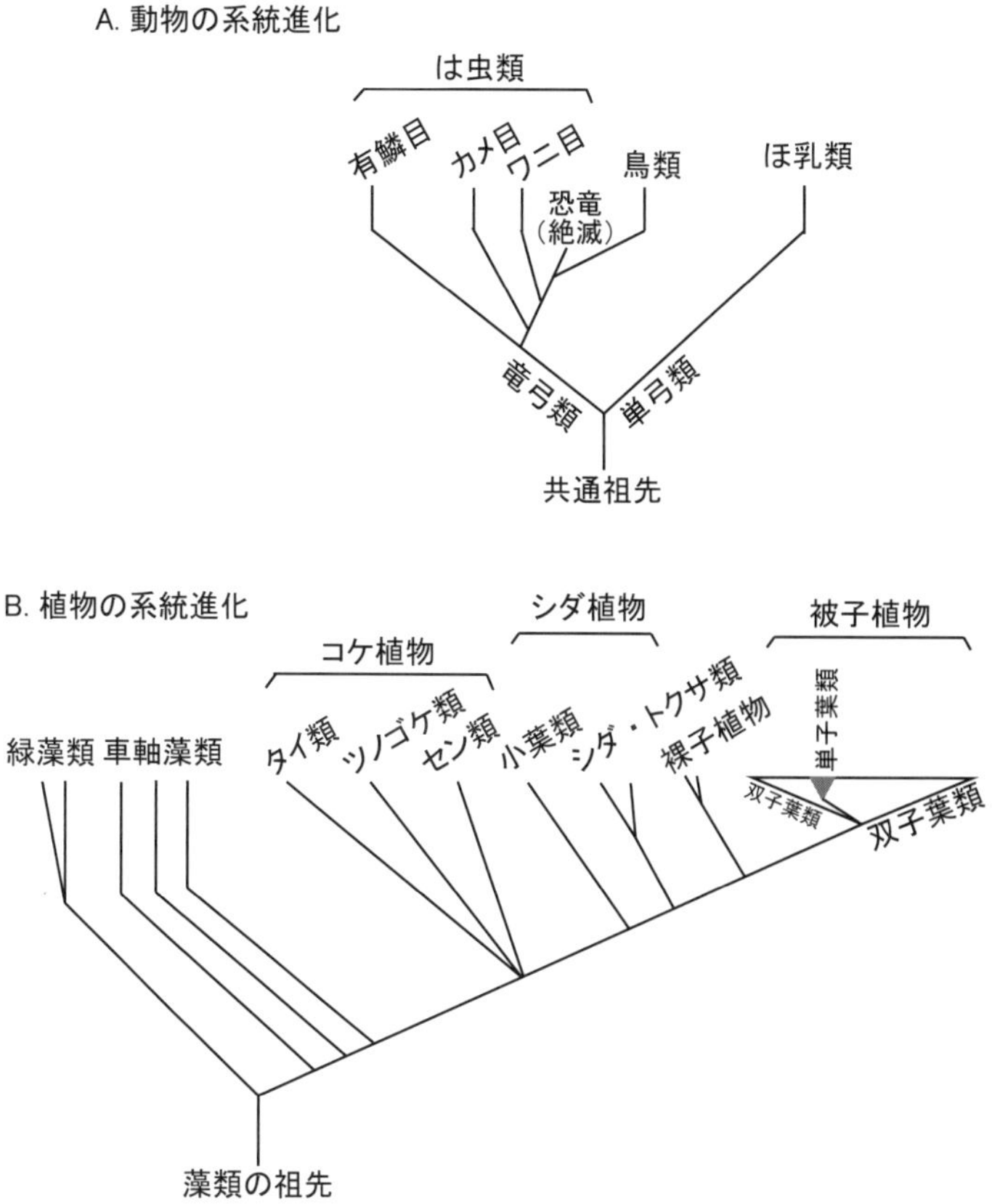

『図説生物学』などにもとづき、筆者作図。

た別の系統（単弓類）で、単系統群である。単弓類と竜弓類を合わせて有羊膜類と呼ぶ。植物でも、「コケ」や「シダ」も単系統とは言えないことが分かってきた（図11B）。タイ類、セン類、ツノゴケ類がそれぞれ、他の植物の系統からひとつずつ分岐しており、これら三グループが単一の祖先から分岐したわけではない。なお、図11Bでは、三グループが一点から放散しているように書かれているが、そこでは、これら三グループとシダ植物に連なる系統の四系統の相対的関係が決められないという意味である。シダについても、小葉類と大葉をもつシダ・トクサ類とが、別々の単系統群となる。昔から小学校でも教えられた単子葉植物と双子葉植物は別々の単系統群ではなく、双子葉植物のグループの内部で単子葉植物の単系統群が分岐している。双子葉植物という単系統群は存在しない。

こうした単系統群に関する知識は、「正しい」系統樹ができなければわからない。つまり、分岐学者から見ると、種の系統樹がなければ、分類ができないことになる。これは、系統樹作成アルゴリズムの開発とコンピュータの進歩によって、最近ようやく可能になってきた。いまや進化生物学に基づく系統分類学が一般的になった。分岐学の問題点としては、遺伝子の水平伝播が広汎に起きていることが判明し、遺伝子レベルではすべて二分岐の系統樹を作ることができても、種レベルでは二分岐の系統関係が成立しなくなっていることがある。そのため、便宜的な分類として、形質の類似性に基づいた表型学的分類はできるとしても、分岐学的な分類はなかなか難しいことになる。また、生物種の分類が本当に階層的になっているのかということについても、単純な二分岐の繰り返しによる階層性や、種、属、科、目、綱、門、ドメインといった階層性も、簡単には認められないことになってきた。生物の進化は網目のように入《い》り組んでいて、従来考えられていたよりもずっと複雑である。

ところで、表型学と分岐学は本当に別物なのだろうか。分岐学のよってたつところの分子系統樹は、遺伝子やタンパク質のレベルで塩基やアミノ酸の違いを計測し、それによって進化距離を求め、その進化距離に従って、それぞれの種を配置するという原理である。表型学は形質の類似性を計測して、類似のものが近くなるようにまとめる立場である。表型学も、既存の自然の階梯にこだわらず、仮に遺伝子やタンパク質の配列をデータとして、類似性を評価すれば、分岐学で得られるものと似た分類になるはずである。つまり、昔流に、表型学がマクロな形質を比較していれば、分岐学とは異なる分類が得られるかもしれないが、同じ形質を評価するならば、本質的には表型学と分岐学は同じ結論になるのではないだろうか。むしろ、現在の表型学と分岐学の違いは、マクロな形質に注目するか、ミクロな塩基配列・アミノ酸配列に注目するかという点であって、本来の考え方の違いを反映したものではなくなっているのではないだろうか。マクロな形質は自然選択の対象となるので、進化の歴史をそのまま反映しているという意味では分類の基準として優れているようにも見えるが、塩基やアミノ酸の差異に基づく進化距離のほうが客観性に優れており、正確に計測できるため、理論的な検討も進んでいる。本来は、マクロな形質による分類は、分子系統樹と一致すべきなのであるが、現実にはなかなか

図 12　生物の多様性を表す仮想的空間の概念図（続く）

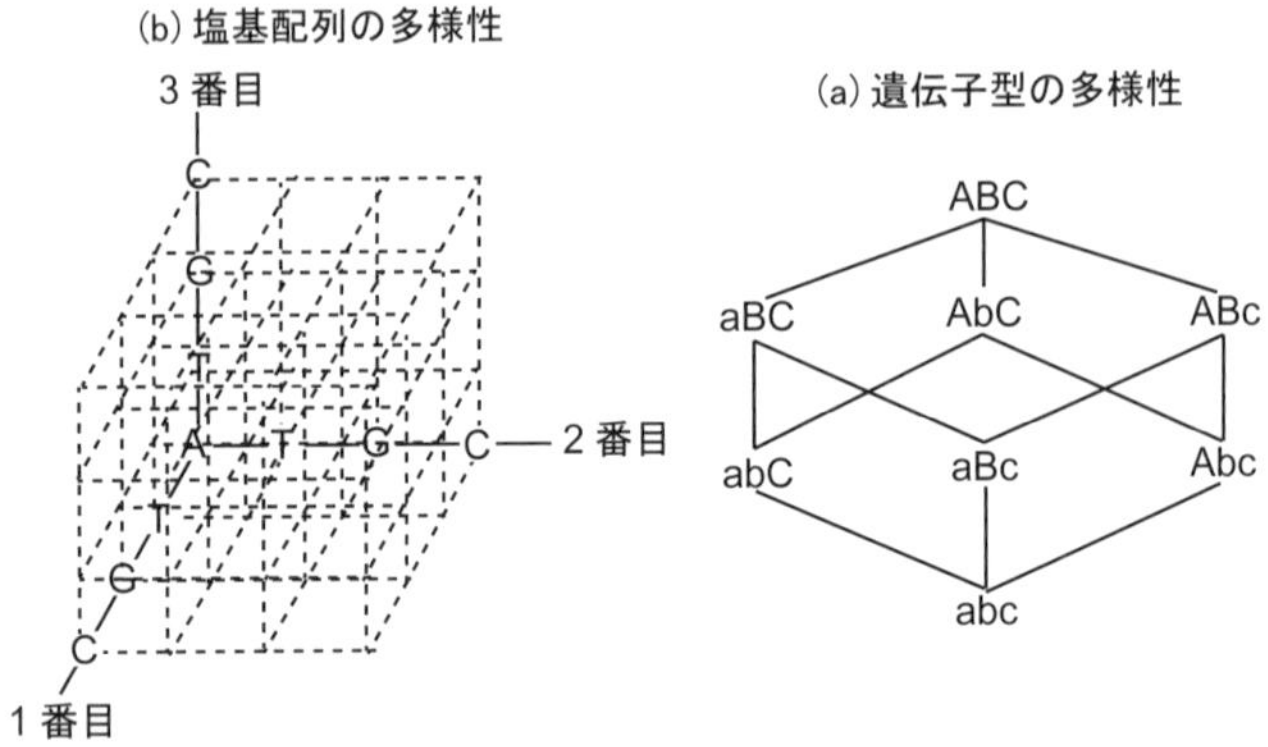

難しいかもしれない。

分岐学の立場で、もう少し考察してみよう。生物は、すべての形質について、存在しうるあらゆる可能性を尽くしておらず、可能性のごく一部しか実現されていない。この点は、化学元素と異なり、化学元素は考えられる原子番号のすべてが実現されている。なお、原子番号は原子核が含む陽子の数を表し、基本的には92個までの陽子をもつ原子核が天然に存在する。ただし、原子番号43のテクネチウムなどは、放射性同位体としてしか存在しない。原子番号94はプルトニウムで、放射性のものが存在する。原子番号93と95以上の元素（118まで知られている）は天然に存在しない。さらに、原子からできる化合物の種類も考えられるほぼすべてが実現し、それぞれに名前がついている。

これに対し、もしも、あらゆる形質のあらゆる可能性をもつ生物がすべて存在するとした場合、形質

図 12

(c) 可能な遺伝子型多様性空間の概念図

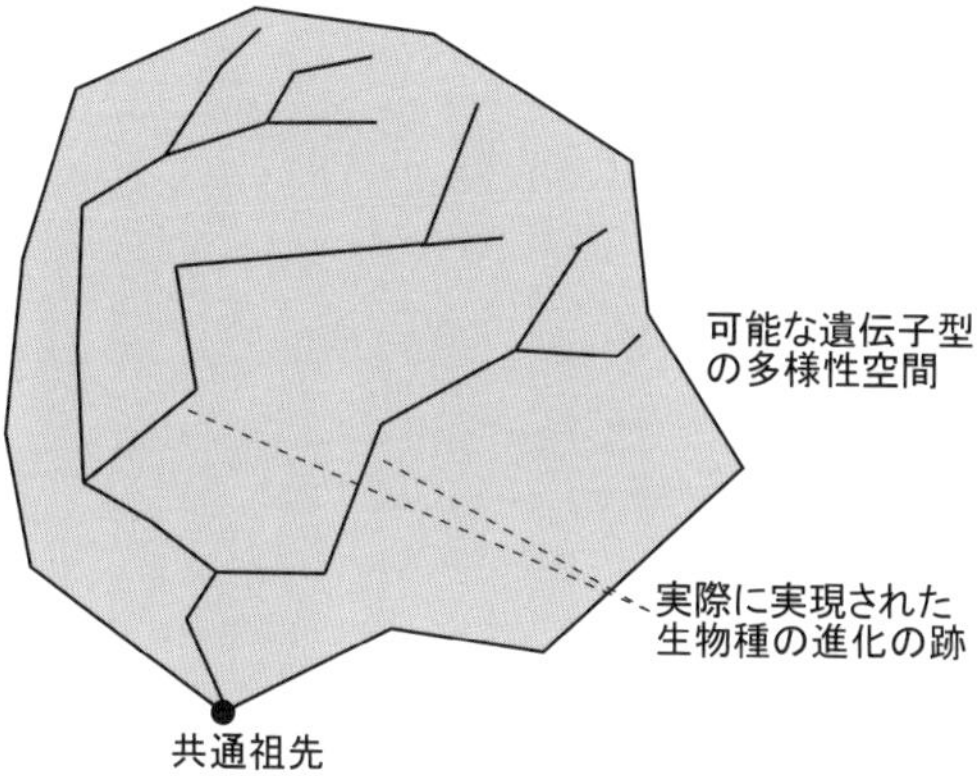

(a) は遺伝子型のもつ多様性を表し、(b) は遺伝子配列での多様性を表す。図示する便宜上、どちらも三つの要素（3 遺伝子または 3 塩基対）だけからなる単純な場合を示した。(c) はさらに (a) を一般化した場合の、可能な遺伝子型多様性空間の概念図とその中で実現される生物種を表す系統樹の模式図。
(a) と基本的には同じ図が進化生物学の論文にも使われている（Weinreich et al. 2005, Crona et al. 2013）が、その場合には、ABC すべてが実際に機能する遺伝子で、そのすべてについて変異が起きる場合に、進化がどの方向に進むかという使い方であった。ここでは、すべての経路を実際に使うということではなく、特定の経路を通って進化が起きるという説明をしており、実際には遺伝子の数も 3 個ではなく、非常に多数の場合を想定している。

の多様性は、多次元空間における多数の点に分散し、特に分類ができるようなものではない。一例として、三種類の対立形質（A、a）、（B、b）、（C、c）の組合せは八通りあり、相互の関係は図12aのようになる。遺伝子の塩基配列の多様性は、塩基数をNとすれば、4^Nとなる。3塩基の場合を図示すると、図12bのようになる。どちらも、格子の線に沿って変異することができ、進化の過程は、同じような多次元空間を考えたとき、線に沿って移動（変異）する道筋を求めることに相当する。このようなすべての変異（すべての遺伝子）を含む仮想的な空間を考えれば、進化は確かに二分岐の繰り返しで進むはずだが、非常に大きな多次元空間の問題となる。図12cには、そのことを表す模式図を示した。実際の進化では、灰色で示された領域に含まれるあらゆる可能性は尽くされておらず、このような空間の中のごく一部の道筋をたどっていることになる。それが通常の系統樹の形で表されたものである。そこでは実際に存在する生物のつながりだけを考え、すべての可能性を考慮しないため、水平伝播や細胞内共生により、交叉《こうさ》が起きる。逆に、もしもすべての多様性を考えれば、系統に基づく分類はできないことになる。

図12aの図は私のオリジナルと思っていたが、調べてみると、Weinreich et al.（2005）で遺伝子型の多様性に対する適応度地形を考えるときの図式として描かれている。その後、進化の進み方を議論するための図としても、それぞれの線分を矢印に変えて利用されている（Crona et al. 2013）。その場合の使い方は、ここに示したような3個の遺伝子の対立遺伝子のあらゆる

組合せが存在している場合でも、進化がどの方向に進むかという議論であり、特に、一つの遺伝子の変異、たとえばAとa、が適応度に及ぼす影響が、他の遺伝子、たとえばBとb、によって逆になるようなことがありうる（エピスタシスと呼ぶ）問題を議論している。今の私たちの議論は、そうではなく、仮想的な対立遺伝子のすべての組合せを考えたときに、実際の進化は、特定の道筋で進み、すべての可能性を尽くしていないはずだという問題である。あらゆる遺伝子に関する可能性を考えれば、実際に進化の過程で使われた道筋は、可能性のうちのごく一部であることは間違いないと思われる。その意味では、この形の議論はまだ誰も言い出していないと思うが、科学哲学というのは、現実の科学の後追いをするのではなく、科学知識をさらに高いところから考察してこそ意味があると思う。

3 生物種は自然種か

オカーシャの『科学哲学』初版では種問題は解決済みという立場で書かれていたが、第2版では種問題を主に扱っている。生物の種 species が自然種 natural kinds であるかどうかは、哲学的問題（実在論）として議論されてきた。同じ「種」という文字が入っているので間違いやすいが、科学哲学で議論されている自然種という概念は、生物に限定されない自然の秩序とし

ての分類を表し、生物種とは全く別の概念である。オカーシャによれば、

この学説によれば、「自然な」という言葉を、人間の関心を反映するのではなく、世界に実際に存在する区分に対応するという意味で使った場合に、事物を自然な種類（自然種）にグループ分けする方法にはさまざまなものがある。化学元素や化合物は自然種の典型的な例である。（……）科学的実在論を認める哲学者は、どんな科学でも、その科学分野で自然種を発見することが、仕事の一つだと考えている。(p.98)

オカーシャによれば、実はダーウィンも「種という言葉が便宜上、類似した個体群に恣意的に与えられたもので、変種という言葉とも大きく違わない」と認めていて、種、変種、品種などのどの階級で分類するのかは研究者も悩むところであるという。現在、生物学で認められている種の定義はエルンスト・マイアによるＢＳＣ（biological species concept）で、生殖的に隔離されたものを種と定義している。見かけが違っていても、交雑可能なものは同一種とされる。ＢＳＣの限界は有性生殖する生物だけに当てはまることや、地理的隔離の場合、隔離が不完全であることである。さらに、オカーシャは、環状の種 ring species の例を挙げて、問題の難しさを説明している。つまり、（A、B）、（B、C）、（C、D）、（D、E）のそれぞれの組合せなら交雑可能でも、（A、E）の組合せは交雑できないような場合、種の定義ができなくなる。

もともと、生物には遺伝的な変異があることが進化論の前提なので、これはやむを得ない事態であろう。しかし、現実問題として、分類することは必要なので、あたかも明確な区分があるかのように分類をするのが普通になっている。単系統が種分類の前提なので、火星にも地上と同じような形態・性質の生物がいた場合に、それを同じ種と見なすべきかというパラドクスについて、オカーシャは論じている。つまり、別々の系統であって、別々に進化したはずの二種類の生物がたまたまよく似ていて、交雑も可能だったとしたら、それらを同一種と見なすのかという話である。火星の虫の話だとかなり空想的になってしまうが、地球上でも離れた土地を考えれば、同じような状況は考えられる。こうした考察に基づいて、オカーシャは「生物種は自然種ではない」と結論づけている。しかし、物理学の話題で出てきた不可識別者の同一性原理を使うならば、これらの二種は形質もそっくりで交雑可能なら区別する理由はなくなる。分岐学的にも、図12cのような図を描いた場合、進化の道筋が一つに合流することはありえないことではないので、同一種として構わないように思う。分岐学の要点は、系統を考えるということであり、別系統のものが合流することも含めてよいはずである。それは、細胞内共生や大量水平伝播などを考えたとき、現実のものになっている。もっとも、私自身は、オルガネラの起源を単純な細胞内共生とは考えていない（佐藤 2018c）。

今日の生物学の発展に照らして、このことを考えてみよう。現実にゲノム科学の進展により、微生物は系統樹に頼らなくては分類できないものの、遺伝子ごとに系統樹は異なる。また、同じ大腸菌の別の株ですら、水平伝播のために大きく遺伝子構成が異なるなど、何を同一種とすべきかも、謎になっている。私の見方としては、生物種の定義が生物群によってさまざまに異なることが一つの問題で、昆虫などは色や模様が異なるだけで別種になることもあるが、細菌は遺伝的にきわめて違っていても同種になっている。ＢＳＣのように交配可能性や生殖隔離を種の定義にすることは多いが、別種とされる生物間でも雑種ができることは多く、定義は必ずしも明確ではない。系統樹を書いたときに末端でひとかたまり（単系統）になっていれば、一つの種と呼んでよいだろうが、そのひとまとまりのまとまり方が、生物群ごとに大きく違うということである。非常に大まかな見方をするならば、生物のもつ創発性の表れとして、生物は多様化し続けていて、その中で交配群が維持されているので、多様化と類似性維持という二つの相反する力の間で動的に形成される境界に含まれるものが生物種ということだと思う（図13）。拙著『創発の生命学』（佐藤 2018a）でも述べたように、生物を固定した存在と考えずに、動的なものとして考えることで、さまざまな生物の不思議が理解できるように思う。自然種という概念が、論理学的なきわめて固定的な概念に留まる限り、直接的に生物種に当てはまらないとしても、生物を動的なものと考える枠組みの中では、生物種は自然種と見なしてよいのではないかと思う。

図 13　動的な種形成の概念図

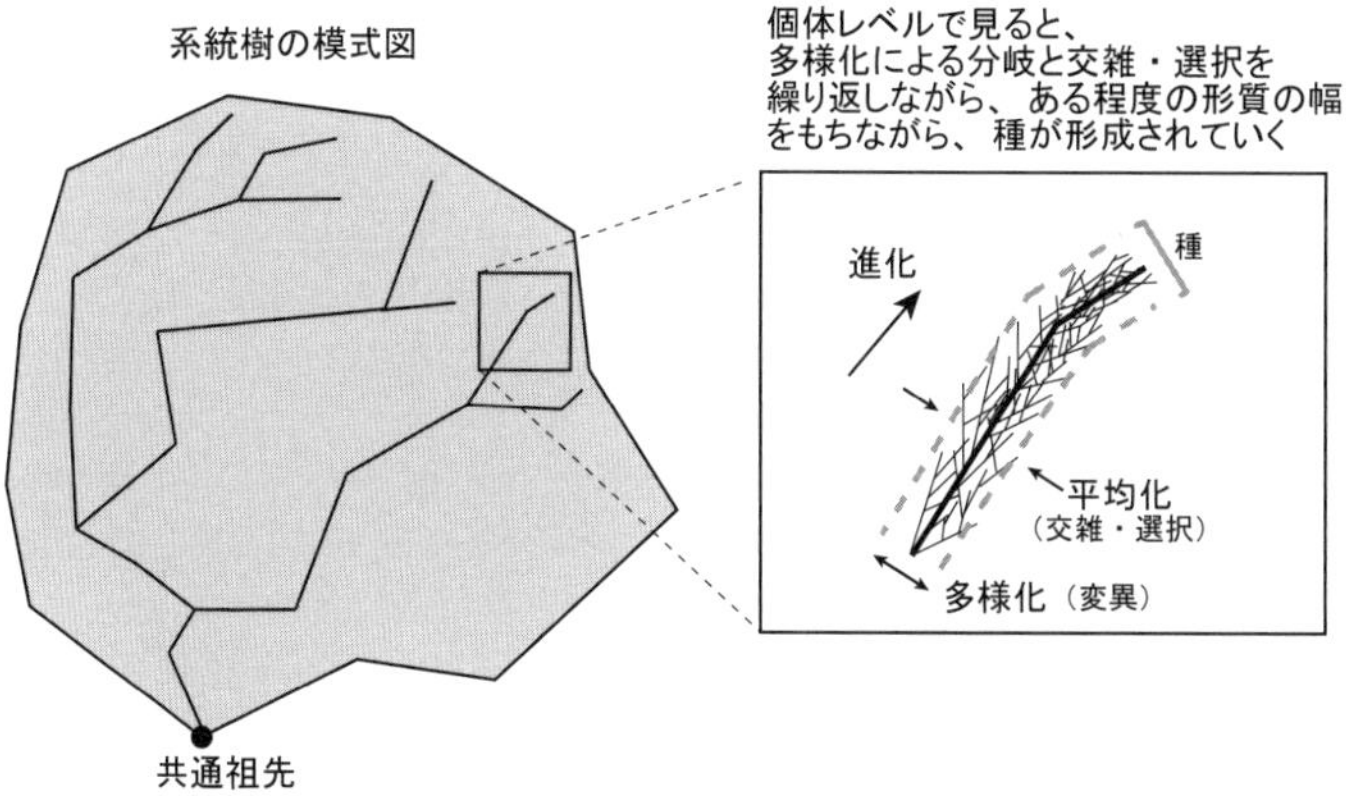
系統樹の模式図
共通祖先
個体レベルで見ると、
多様化による分岐と交雑・選択を
繰り返しながら、ある程度の形質の幅
をもちながら、種が形成されていく
進化
種
平均化
（交雑・選択）
多様化（変異）

図 12c に示した系統樹の一つの枝で起きることを右の図で概念的に示す。個体ごとにみると、それぞれわずかに変異をもつことにより、形質が少しずつ異なるが、交雑により、子孫の形質は平均化される方向に進む。新規変異による個体ごとの多様化と交雑や選択による平均化などにより、ひとかたまりの形質をもつ集団として進化していく。「選択」には著しい変異体の死滅の他、平均から外れた個体の生育速度の減少や増殖率の低下などが考えられる。種の系統樹として示されるものは、このような多様な個体の形質の平均的な状態を表すと考えると、生物種と見なされるものは、多様性を孕んだ自然種ということになる。

4　心はモジュール的か

認知的課題を心がどのように処理しているのかという問題に対して、オカーシャの説明によると、一つの考え方では、人間の心を汎用問題解決装置と捉え、もう一つの考え方では、多数の専門化した部分システム（モジュール）がそれぞれに仕事をこなしていると見なす。後者の例として、言語学者チョムスキーの説では、一般知能ではなく、言語獲得装置が言語の習得に働いているとされる。また、モジュール説の有力な証拠として、ウェルニッケ野を損傷した脳損傷患者が、人の言うことを理解できなくなるが、正しい文章を流暢《りゅうちょう》に話すことができることも述べられている。別のケースとして、健忘症では長期記憶が失われるが、短期記憶や言葉を理解し話す能力は残るという。

以前に私の同僚だった心理学の先生方から聞いた話では、脳は異なる課題を異なる部位で処理しているかという問題に関して、今は functional MRI（機能的核磁気共鳴イメージング、fMRI）を使って、異なる脳の部位の活動を可視化することができるようになったそうである。これは血流量を測定していると見なされ、原理としては、酸素を結合したヘモグロビン（反磁性体）と酸素を結合していないヘモグロビン（常磁性体）が異なる局所的磁場を生じることを利用している。なお、ヘモグロビンは赤血球内に多量に含まれるヘムタンパク質で、このヘムの部分には鉄原子が含まれる。鉄の原子核はスピンと呼ばれる微小な磁石としての性質を示し、脳組織内の水に含まれる水素原子核のシグナルをｆＭＲＩで測定する際に、離れていてもわずかな磁場を及ぼす。このわずかな影響を検出し、評価するのである。専門の記事によると、実際には、毛細血管と静脈では、血流量と酸素含量（ＢＯＬＤと呼ばれる）に関して異なる反応を示すそうで、しかも、これらが時間的に変化するので、ｆＭＲＩで適切な画像を得ることや、得られた画像の適切な解釈は、かなり専門的な知識を必要とするらしい（Ogawa & Sung 2007）。しかし、脳と心は同じではない。その関係をどう考えるのかが問題である。

オカーシャの教科書では、モジュール説の提唱者としてフォーダーとその著書『精神のモジュール形式』（Fodor 1983）が挙げられている。彼は、モジュールの特徴として、（1）領域固有性、（2）作動の強制性、（3）情報的遮蔽を挙げていたが、一方で、一般知能で処理する作業もあるとした。モジュール性の問題は、何をモジュールと考えるかに依存している。思考や推論はモジュールではなく、一般知能で処理するとされる。こうして、モジュールになっているものとそうでないものがあるとオカーシャはまとめているが、ｆＭＲＩの研究からは、たいていの認知活動には固有の領域があるようにも思われる。脳という物体と心というつかみ所のないものとをどのように対応させるのかが大きな問題である。

意識の研究からは、脳と意識の関係が次第に明らかにされている。意識という言葉は、覚醒状態に限定した心の状態を表すこともあり、心を感情的な面に限定して、気持ちという意味で使うこともあるだろう。研究者により、言葉の使い分けはさまざまなようである。信原幸弘編

『心の哲学』では、心 mind の二大特徴として、意識 consciousness と志向性 intentionality が挙げられている。志向性は、何かを表す働きを指す。フッサールは志向性をもとに現象学を打ち立てた。『心の哲学』では、意識は心の中でつくられる「もののイメージの現れ」を指しているようである。心的状態には命題的態度と意識的経験があるとされる。前者は感覚の入力と行動の出力、および他の心的状態との関係で成り立つが、後者は独特の感じを伴うことが特徴で、この独特の感じのことがクオリア qualia と呼ばれているよく分からないものである。クオリアは個人的なものなので、自然化がきわめて困難とされる。命題的態度に対する情動と知覚の関係については議論があるところのようである。

Feinberg & Mallatt（2018）は、神経生物学的自然主義という立場から、意識を心的イメージと情動から理解している。つまり、意識を「自然化」（自然科学的な理解をするという意味のようである）するために、神経生物学的な考察を使っている。脳の構造と意識の進化を対応させながら、脳のどんな領域が進化すると意識が生まれるのかを考察している。彼らは視覚が意識の成立には重要だと主張する。脊椎動物が誕生した頃からイメージに基づく意識が生まれた。それはカメラのような眼（camera eye）によっていて、視覚野の中に、空間の三次元マッピングを行うというのである。空間を頭の中でイメージして、その中のどこに自分が位置するのかを把握し、行動することが、意識の基本形と考えられている。これに加えて、怒りや恐れなどの情動による行動の支配が意識を作り上げているとされた。このような基準に基づいて、脊椎動物の他、頭足類や節足動物にも意識はあると、この本の著者たちは考えている。彼らは、意識の進化に三つの段階を考えている。まず、生命活動から無意識が生まれる。次に、単純な脳による反射ができるようになる。さらに、神経ネットワークと視覚の拡張によって意識が形成される。意識の形成は、約5億年前のカンブリア期の爆発的な動物種の多様化の頃に始まったと考えられている。

心と脳の関係は、心身問題として伝統的な哲学の大問題である。『心の哲学』には、最近の脳神経科学の進歩を受けて、心理学者や哲学者がどう考えるかという問題意識から、さらに多面的に解説がなされている。そこでも、上に述べた「自然化」は大きな問題で、脳に関する物質的な科学の事実と心の現象をどう結びつけるのかが、幅広い視点から紹介されている。伝統的に心身二元論と一元論があるが、簡単に両者を別物とも同一のものとも言えない難しさが述べられている。

これに対し、哲学者の斎藤慶典（2014）は、現象学から生命、意識を考えている。現象学（フッサールの「基づけ」概念を基礎として、超越論的主観性・間主観性から自我の客観性や世界の理解を考察している）はかなり難しいが、ここでも、物理的実体としての身体に基づいて、哲学の立場から、意識や生命を考察している。

心という「基づけられる項」は、脳を含む身体という物質（物理的実体）に支えられてはじめて存立しうる上位の秩序（ないし次元）であるが、心というこの上位の秩序の中ではじめて脳ならびに身体という物理的なものが心を支える下位の秩序として、すなわち「基づける項」として姿を現わすかぎりで、心は脳ならびに身体という物理的なものを包んでいる。（p.183）

基づける下位の秩序から基づけられる上位の秩序が出現する独特の仕方を説明してくれるのが、「創発」という事態である。（p.184）

「基づけ」という概念はフッサールが考えた段階ではかなり曖昧なものだったに違いないが、現在のｆＭＲＩなどを駆使した脳科学の進展を考えれば、脳という物理的な実体を場として、そこで繰り広げられる神経活動が生み出す情報の流れを心と考えて、脳から心が創発するという言い方はできるかもしれない（図14）。これは拙著『エントロピーから読み解く生物学』（佐藤 2012a）、『創発の生命学』（佐藤 2018a）でも提唱したことである。

図 14　脳と心の関係を表す概念図

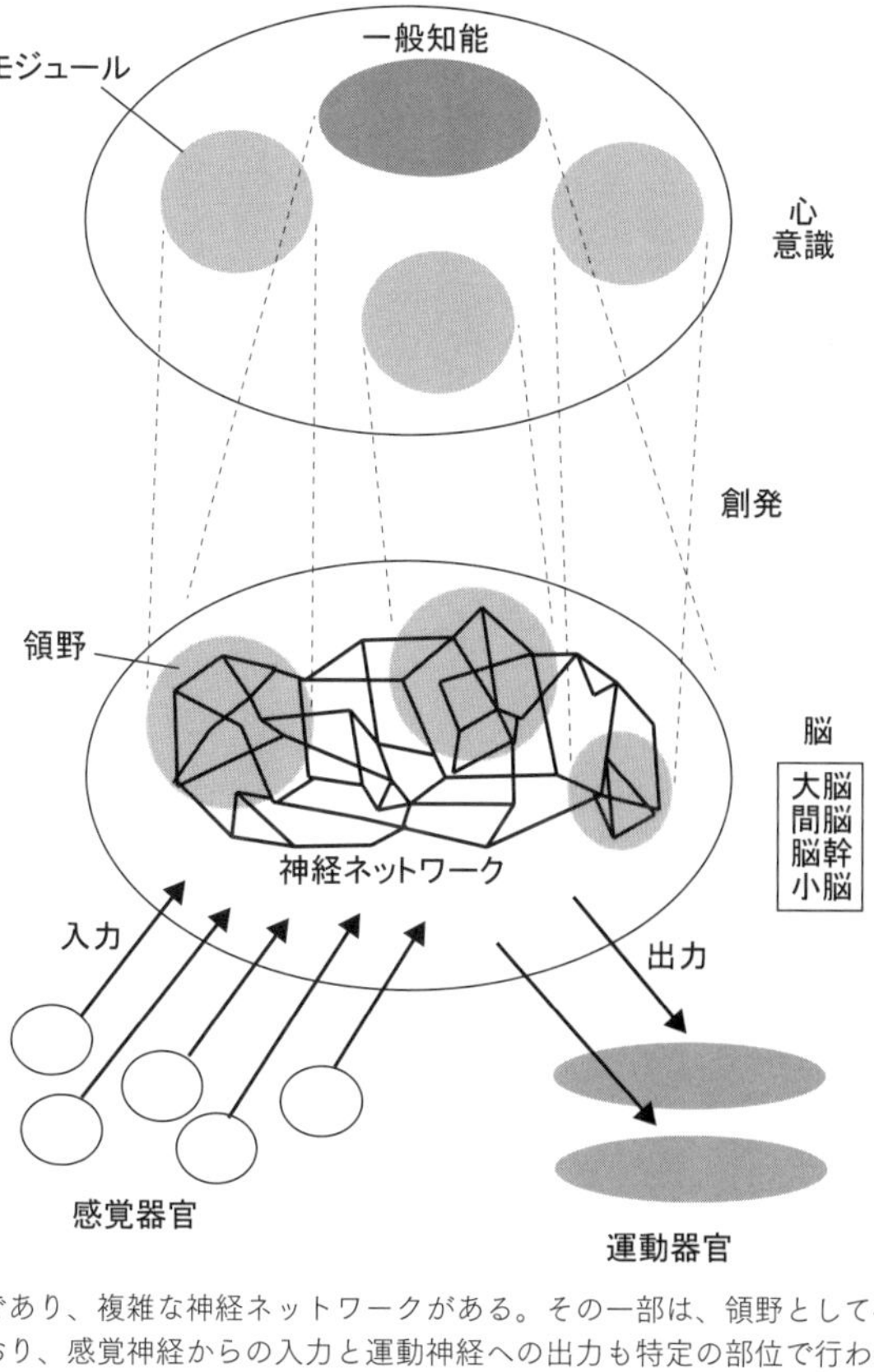

脳は物質であり、複雑な神経ネットワークがある。その一部は、領野として機能的に分化しており、感覚神経からの入力と運動神経への出力も特定の部位で行われている。これに対して、心や意識は神経活動の中から創発するものと考えられる。その場合、特定の機能を司るモジュールは、それに対応した領野の活動からの創発で成り立っていると考える。また、一般知能と言われるものを担う脳内の部位は明確ではない。斎藤（2014）に基づき、筆者の想像を加えて作図。後で述べるように、ネットワークは固定的なものではなく、経験に基づいて柔軟に変化するものと考えるべきである。また、それに対応して、心のモジュールも微妙に変化すると考えてよいのであろう。

5　心も動的に考える

ところで、心に対する現在の考え方は堅すぎないだろうか。初めて数学を習うときなど、ほんのわずかな言葉遣いが分からなくて悩むということが多いものだ。そうしたときに、その新しい概念や式の意味などについて、いろいろと質問して話をしていくうちに、何となく分かってくる。つまり、特に子供のときは、今までに聞き知った概念を使って、新しい概念を理解しようとするのだが、すぐに既知の概念と折り合いがつかない。なぜなら、一つ一つの言葉遣いが、大人が考えるものとは違っていることがあり、誰しも経験があるように、既知の概念自体がいろいろな思い違いや、勝手な想像により、さまざまな別の概念と絡み合ってしまっているからである。しかし、プラトンの対話篇のごとく、いろいろ説明を聞き、疑問点をぶつけていくうちに、既知概念の整理が進み、新たな概念との適切な関係がついてくると思われる。つまり、ものを理解することは、単に新しい知識が付け加わるのではなく、いままで持っていたものの考え方に何かを組み込み、両者を微調整しながら、うまく折り合いをつけることのように見える。

クオリアに関しても、このように動的に考えたらどうだろうか。子供の頃、色の三原色ということで、赤、緑、青を教わる。日本人が理解する赤は、おそらく日の丸の赤であろう。だれもが小さいときから、それを見て、「白地に赤く」と教わっているからである。もちろん、心の中で作られる「赤」のイメージは人それぞれに違うかもしれないが、だれもが、日の丸の赤を見れば、赤と判断できるように学習している。これは、人工知能のディープラーニングで、いろいろな色を学習したマシンが、正しく赤と判定するのと似ている。装置の中で何が起きているのかは分からないし、おそらく使うソフトウエアごとに、コンピュータの中で使われるニューラルネットワークのモデルも異なり、その中でそれぞれのノードでの計算式のパラメータも異なるはずである。それでも、学習を進めると、入力した信号に対して、正しく答えられるようになる。クオリアはこれに似ているのではないだろうか。ニューラルネットワークは、もともと神経ネットワークを模倣して考えられた情報処理技術であることはすでに述べた。それが、案外、本当の脳内の活動に近いことをしている可能性もあるらしい。

私は小学生のときに『科学の実験』という図鑑（書名は間違っているかもしれないが、いまでも小学館から出ている図鑑のシリーズ）で初めて「マゼンタ」という色の説明を読んだときのことを、今でも覚えている（ような気がする）。色の三原色は、光とインクで異なる。光の三原色は赤、緑、青で、これらを混ぜると白になる。印刷インクの三原色はマゼンタ、シアン、イエローで、これらを混ぜると黒になる。最初マゼンタを見たとき、子供の頃の私は赤としか思えなかった。しかし、三原色の説明を読みつつ、眺めているうちに、赤とマゼンタの区別がつくようになった。赤は少し橙色に近く、マゼンタは少し青に近いという感じをもった。一度区別がつくようになると、その後は、赤とマゼンタは別の色と認識される。皆さんもこんな経験はないだろうか。よく似たものでも、一度区別を教わると、それからは全然別のものに見えてくる。これはおそらく、脳内の神経回路にわずかな変化が起きて、区別ができるようになるのであろうし、それが意識にも反映されるのであろう。クオリアに関する議論では、個人個人のクオリアは別々で、それらがどうして同じ認識を生み出すのか不思議だというようなことが言われる。しかし、ディープラーニングと同様、装置の内部的な状態はそれぞれ別であっても、入力に対する出力は同じものを出すことは可能である。また、他人とのコミュニケーションにより、同じものを同じものと認識するように、ネットワークが訓練されると考えられる。ディープラーニングでもコンピュータが「学習する」のだが、人間も、他の人の反応を見ながら、学習しているのであろう。しかしそうした学習の対象にならないままに、たまたま特定の色と関連づけられた別の知覚や情報があった場合、それはその人の独特の感じとなるのだろう。詩を読んだときの感じがひとそれぞれなのも、こうした理由によるのだろう。それでも、このように動的な考え方をすれば、クオリアの不思議はかなり理解可能なものになるように思う。

人間の認識は多くの場合、似たものを判別することで成り立っている。間違い探しクイズでも二枚の絵の異なる部分を探すわけだが、どうしてもわからなくても、答を一度聞いたあとは、今度は違いが明確に認識されるようになる。不思議なものだ。また、漫然と風景を眺めていても、何か動くものがあると、すぐに気づくものである。これはおそらく動物本能とでも言うべきもので、えさを探す場合も、敵から逃げる場合も、状況の変化にすぐに反応することが求められる。変化や移動を敏感に検知する能力は、人間の知覚にとって本質的なものであろう。いわゆる「運動神経がよい」ということの一部は、動くものを的確に捉える動体視力であるが、これは人によりかなり差があるようだ。コンピュータはそうではない。画像解析の場合、大きな画像データには正確なデータが隅々まで詰まっていて、二枚の画像を比較するにも、全体を順番に調べていく。しかし、人間の視覚は自分では全体を見ているつもりでも、多くの時間は大事なところ（関心を惹いたところ）しか見ていないらしい。それも視点は細かく動き続け、それによって詳細な情報を得ることができる。さらに、たまに視点を大きくずらして得た背景像を補って、全体を見ている感じを持っている。多くの場合、それでよいわけである。これはアニメーションの制作とも似ている。背景は同じ画像を使い回し、主人公の動きだけ、一枚ずつ描いて、背景に載せるわけである。ただし、最近の本格的なアニメーションは、ものすごいコンピュータパワーをつぎ込んで全部きれいに作っているようだが、たぶん誰も背景は詳しく見ていない。それでも、背景の描写もあった方が自然に見えるらしいので、不思議なものである。

似たものの判別は、コンピュータの内部にある論理回路でも比較的簡単に実装できる。要するに、二つの信号の差を増幅すればよい。脳の中でも似たような形で実装されているに違いない。しかし、脳のすごいところは、ものを見て、これは区別すべきものだと分かると、その区別がつくように、神経回路が変更されて、どんどん区別が分かるようになることである。誰もそれを実証できているわけではないが、神経がネットワークを作っていること自体はわかっているし、差を出力する神経があることも知られている。シナプスでスパイクと呼ばれる突起が、過去に処理した情報の経験に基づいて作られたりなくなったりしながら、よく使われる大事なものが残っていくことも知られている。こうしたことを総合して考えれば、上に書いたような想像ができる。あくまでもＩＢＥ（アブダクション）であるが。

6 ニューラルネットワークと人工知能

こうした説明をした場合、人工知能（ＡＩ）のモデルは科学的説明になるのだろうか。何度も述べたように、人工知能はあくまでも技術である。しかし、その技術を可能にするある程度の理論はある。多層構造のネットワークがあると学習が可能だということ自体は、情報科学の理論として認められるであろう。人工知能で使われるニューラルネットワークの概念図を図15に示す。ネットワークでは、一層目の各ノードから出たシグナルを二層目のどのノードにどのくらいの強度で伝えるか、というパラメータが多数ある。顔認識などでは各層のノードの数も膨大なものになり、一層目と二層目、二層目と三層目、三層目と四層目の接続に関して、膨大な数の組み合わせがあり、その際のパラメータもきわめて多数になる。毎回の学習の都度、そ

図 15　ニューラルネットワークの概念図

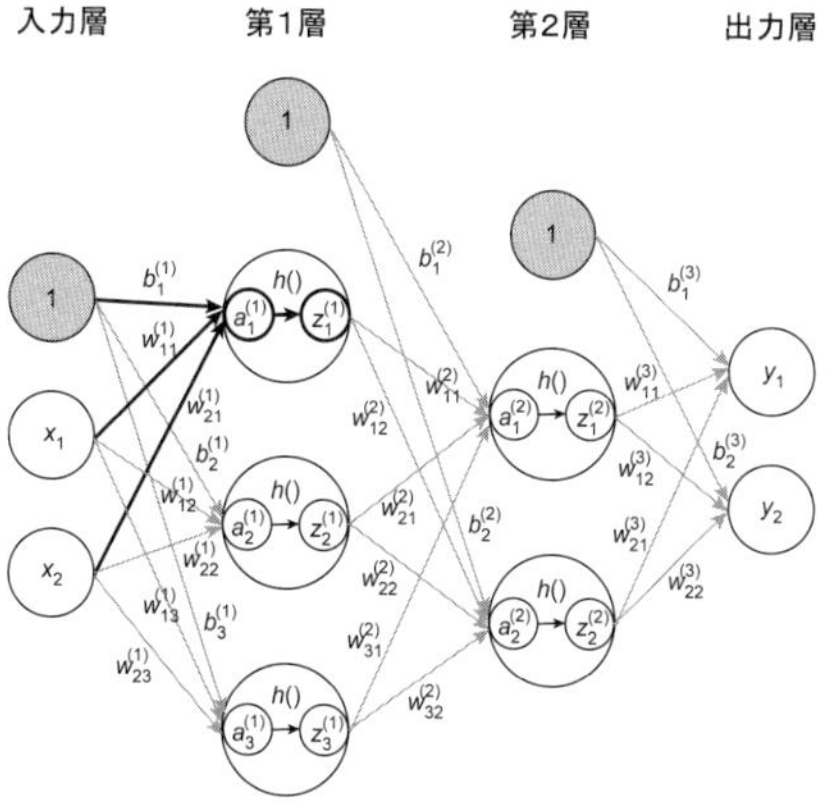

斎藤（2016）に基づき筆者作図。ここでは3層からなるニューラルネットワークを示す。一般にディープラーニングと呼ばれるものでは、4層以上で、各層のノードの数もきわめて多数である。画像処理などでは、建前上、入力する画像の画素数分の入力ノードが含まれることになるが、何通りかの異なる画像圧縮（特徴抽出）を行い、それらを実際の処理に使うようである。この図の場合、入力層では二つのノードがあり、ここに学習データセットのうちの一つのデータの入力値 x_1 と x_2 を入れる。計算に必要な定数入力のために①と書いたノードがある。この値が、三つの層で計算され、その結果が出力層の二つのノードに、y_1 と y_2 として出力される。これを学習データの正解と比較して、その差から、それぞれの計算における係数の補正を行う。これをバックプロパゲーション（誤差逆伝播法）と呼ぶ。第1層のノード1における計算は、$a_1^{(1)}=b_1^{(1)}+w_{11}^{(1)}x_1+w_{21}^{(1)}x_2$ となる（太線部）。ここで、b はバイアス、w は重みを表す（ただし添え字は省略）。$h(\ )$は各ノードにおける入力値からの計算結果を出力するときの「活性化関数」（評価関数）で、シグモイド関数［1/1＋exp(x)］などを使う。このようなデータ演算をするノードをこの分野ではニューロンと呼ぶが、それは本物の神経で行われる演算と似た処理をしていると想定されるからである。それぞれの学習データを読み込ませ、それぞれの回ごとに、出力と正解との差から、b や w の値を修正する。これを多数回繰り返し、ほぼ正解が出るようにすべての b と w の値を調整する。その上で、調べたいデータを入力すると、正解が出力されることが期待される。もしもだめなら、さらに学習データセットの数を増やして学習させる。このようなニューラルネットワークが仮に正解を出せるようになったとしても、内部の計算式をたどることは可能かもしれないが、どういう理由で正解が出せるのかは簡単には分からず、内部はブラックボックスとみなされる。

のときのシステムの出力が正しかったか間違っていたかで、ネットワーク内のパラメータを微調整していく。この作業をバックプロパゲーションと呼び、複雑な微分方程式で表される作業をする。これを多数回繰り返す結果、学習データに関しては百発百中で正解が出せるようになる。しかし、新たなデータを処理したときに正しい答が出せるとは限らない。ともかく学習量に依存する面は大きい。しかし、現実のニューラルネットワークの設計には膨大なノウハウがあり、特に、速やかに収束するようなバックプロパゲーションのアルゴリズムは重要なポイントである。そのため、理論や簡単なソフトウエアは30年位前からあったが、本当に使える技術にするためには多くの研究者による長年の開発が必要だった。たとえば、特徴抽出を行う畳み込み（convolution）層を含むネットワークはＣＮＮと呼ばれ、画像認識などで用いられる主流となっている。また位置ずれにつよいプーリング層も用いられる。特に顔認証や自動運転など、重要な用途が特定され、巨大なマーケットも確実に確保されれば、Googleなどの大企業が取り組むのは当然で、今では、こうして開発されたGoogLeNet（複数の畳み込み層とプーリング層からなるinceptionモジュールを単位とし、これを重ねてつくられるネットワーク）などのソフトウエアが他の分野でも利用できるようになってきており、それが大きなＩＴ革命の引き金となっている。もう一度戻ると、ＡＩは科学かといわれれば、技術だと答えるのだが、その基礎となる理論は科学というか情報科学（応用数学）ということになる。しかも、単に定理の体系としての数学ではなく、実際のデータを結びつけることによってできる複雑な構造体が示す複雑な挙動を扱うという点で、複雑系物理とも似た面をもつ学問である。それによって、脳の働きのしくみの一部が理解できるならば、その部分は科学ということになろう。

私は心理学の専門家ではないが、心の働きに関しても、動的な見方をすることによって、これまでの型にはまった議論を乗り越えて、理解しやすくなるのではないかと思う。

第9章

科学と価値、社会における科学のあり方

1　科学至上主義という批判

一般に科学はよいもの、正しいものと信じられているが、そうした信念を批判する言葉が科学至上主義 scientism（または科学主義）である。物事を考えるときに、科学とは異なる立場もありうると考える立場からの批判を指す。オカーシャの説明は以下のようなものである。

「科学至上主義」は一部の哲学者が使う軽蔑語で、科学崇拝、あるいは近代科学を過剰に尊敬する態度と彼らが見なすものを記述する言葉である。科学至上主義に反対する人々は、科学が知的努力の唯一の形態ではなく、世界を理解する唯一の方法でもないと考える。彼らが強調するのは、科学そのものに反対するのではなく、どんな物事にも科学的方法を適用することが必要だという前提に反対しているのだということである。そのため、彼らの目的は科学を攻撃することではなく、科学知識が知識のすべてであるという考えを排斥することにより、科学をあるべき位置に戻すことなのである。(p.114)

すなわち、自分で科学至上主義者と名乗ることはなく、この言葉は、他人から見て、「おまえは科学至上主義者だ」といって批判するときに使われる表現である。それでも、どんな問題も科学によって解けると信じている人は多い。そうした哲学者として、オカーシャの初版では、アメリカの（科学）哲学者クワインを挙げていた。第2版では、イギリスの（科学）哲学者バートランド・ラッセルに入れ替えられ、引用が加えられている。原典から少し長めに引用してみよう。

私の結論はこうである。価値観に関わる諸問題は科学が決めることのできないものであるのは事実だが、それは、そうした諸問題が知性によって決められるものでは全くなく、真偽という領域の外にあるからである。人類が得ることのできるどんな知識も科学的な方法によって得なければならない。そして、科学が発見できないものを、人類が知ることはない。(Russell 1935/1956, p.243)

このような立場は自然主義と呼ばれる。そうなると哲学の出る幕《まく》はなさそうにオカーシャは書いているが、引用したラッセルの文章の前半では、価値判断は科学や知性とは別のところでなされることを述べている。また、次のようにも述べている。そのため、ラッセルを科学至上主義の代表のように引用するのは不適切だと思われる。

科学的な気質は慎重で、暫定的で、断片的なものである。科学によってすべての真実を知ることができるとか、いわんや、科学のもっとも優れた知識は完全に正しいなどとは想像しない。(p.245)

実は、このラッセルの本は私の本棚に並んでいたものを発掘したもので、そもそも、高校生のときに、大学入試の英語長文で良く出題されるラッセルの文章を勉強しようと、読んだものであった。当然、その内容を詳しく覚えているはずもないが、今にして思えば、意外と私が本書で書いていることと似たことが書かれていたと感じ、驚いているところである。もちろん私が後なので、まねしたと言われるかもしれないが、実際には私が書いていることは科学者としての経験に基づいての話なので、純粋に哲学者の立場で書いていたラッセルの話とは別のものと言わせていただく。

さて、話を戻すと、当然、多くの哲学者は科学至上主義に反対する。しかし、哲学も科学と矛盾のないようにしなければならないとは考える。しかし科学的方法だけが世界を知る方法とは考えない。では哲学独自の方法論とは何か。論理的推論、思考実験、「概念分析」（知識をもつことと信念が正しいこととは異なることなど）などを、オカーシャは挙げている。それでも、歴史的に哲学の課題とされてきたことの多くが、いまや科学の課題に変わってきていることを認めている（知覚、想像力、記憶などは心理学のテーマとなった）。社会科学でも、自然科学の方法論を取り入れることについて、議論がある。いまや経済学も計量経済学に変わりつつあることなどは、その例と言える。しかし、19世紀のドイツの社会学者ヴィルヘルム・ディルタイとマックス・ヴェーバーの考えでは、社会科学の場合、社会に生きる人々の意図を理解することが必要だとされた。社会現象では主観的な意味を考慮する必要があると、オカーシャは第2版で述べている。

こうした科学と反科学の論争では、そもそも科学の方法論と呼ばれるものが明確でない。オカーシャの教科書でも、実験による検証、観察、理論構築、帰納的推論などを科学的探求の特徴とした。それでも、科学自体が変化しており、すべての科学分野に通用する、固定した科学方法論が存在するのかもわからない。実はこのことは両陣営ともわかっていて、そうなると、科学至上主義に関する論争は、間違った前提に基づいて行われていたことになるとも述べられている。

少し補うならば、それでも、科学の多くの場面で、科学的方法を使うことの重要性が説かれることは多い。それは、論理的という意味だったり、実験により検証するという意味だったりするが、むしろ、科学至上主義を批判する人々の「非科学的」立場を批判するためのことが多い。それは、不合理な信念や過度な疑いに基づく、漠然とした将来への不安の表れであることが多い。不安を打ち消して物事を前に進めたい人々が科学的方法や合理性を主張するが、往々にして、その裏には経済的利益が潜んでいることも多い。表面に表れる「科学的」という言葉は、本来の科学を理解していない人々によって、自己の利益を守るために利用されていることも多いと思われる。科学と技術は異なることも重要な観点である。現実に科学が話題になるのは、ほとんど、技術の問題である。そこには科学的知識の客観性や正しさへの信頼が隠れている。科学そのものは真理に向かう永遠の運動であって、今現在で固定された知識が完全に正しいはずがない、と私は考える。

2　科学と宗教

科学と宗教の間の対立はガリレイの異端審問（１６３３年）に遡る。この問題は、先に引用したラッセルの本でも扱われている。最近では、Intelligent Design（ＩＤ）と進化論との対立が有名だが、これは主にアメリカだけの問題である。オカーシャの本の初版では創造論者と書

かれている。なお、IDの考え方については、たとえば、Pullen（2005）などがまとまってい
る。きちんとした生化学の内容を説明した後で、すべては神のデザインによるとまとめている。
以下、オカーシャの記述を追ってみる。ダーウィンの進化論は、最初から聖書の創世記と矛盾
していたが、多くの人々は聖書の記述を文字通りとらなくてもよいと考えていた。アメリカの
福音派プロテスタントがこれに異を唱えた。アメリカの40％の人々がこの立場である。公教育
で宗教を教えることはできないため、「創造科学」という「科学を標榜するもの」もつくられ、
進化論と並行して教えるようにとの訴訟も起きた。１９８７年にこれが敗訴すると新たに上述
のＩＤが現れたと、第2版では書かれている。その場合、ダーウィンの進化論のさまざまな問
題点が議論の対象になった。眼のような複雑な器官が果たして自然選択でできるのかなど、当
初から議論があったが、ダーウィンは、単純な構造から次第に複雑なものになっていくという
ことで理解しようとした。しかしＩＤからの反撃は続き、ダーウィニズムは証拠が十分でなく、
「単なる理論」でしかない。つまり、証明されていないというのである。化石による進化の証
拠が不足していることも指摘されている。しかし、化石だけが進化の証明ではない。比較解剖
学、発生学、生物地理学、遺伝学などのデータもある。このように議論が紹介されている。

聖書の創世記第1章における記述はきわめて簡潔で、全体として、神が生物や人間を創造し
たこと以上のことが書かれているようには思えない（資料1）。「種類にしたがって」とあるの
は、それぞれの生物が種ごとに作られて、その種のまま増殖し、現存するということを述べて

資料1　旧約聖書創世記より生物と人間の創造に関する記述の抜粋
（『聖書』（1955））

第1章抜粋

（第3日）

11　神はまた言われた、「地は青草と、種をもつ草と、種類にしたがって種のある実を結ぶ果樹とを地の上にはえさせよ」。そのようになった。

12　地は青草と、種類にしたがって種をもつ草と、種類にしたがって種のある実を結ぶ木とをはえさせた。神は見て、良しとされた。

（第5日）

20　神はまた言われた、「水は生き物の群れで満ち、鳥は地の上、天のおおぞらを飛べ」。

21　神は海の大いなる獣と、水に群がるすべての動く生き物とを、種類にしたがって創造し、また翼のあるすべての鳥を、種類にしたがって創造された。神は見て、良しとされた。

22　神はこれらを祝福して言われた、「生めよ、ふえよ、海たる水に満ちよ、また鳥は地にふえよ」。

（第6日）

24　神はまた言われた、「地は生き物を種類にしたがっていだせ。家畜と、這うものと、地の獣とを種類にしたがっていだせ」。そのようになった。

25　神は地の獣を種類にしたがい、家畜を種類にしたがい、また地に這うすべての物を種類にしたがって造られた。神は見て、良しとされた。

26　神はまた言われた、「われわれのかたちに、われわれにかたどって人を造り、これに海の魚と、空の鳥と、家畜と、地のすべての獣と、地のすべての這うものとを治めさせよう」。

27　神は自分のかたちに人を創造された。すなわち、神のかたちに創造し、男と女とに創造された。

28　神は彼らを祝福して言われた、「生めよ、ふえよ、地に満ちよ、地を従わせよ。また海の魚と、空の鳥と、地に動くすべての生き物とを治めよ」。

29　神はまた言われた、「わたしは全地のおもてにある種をもつすべての草と、種のある実を結ぶすべての木とをあなたがたに与える。これはあなたがたの食物となるであろう。

30　また地のすべての獣、空のすべての鳥、地を這うすべてのもの、すなわち命あるものには、食物としてすべての青草を与える」。そのようになった。

いるので、それが進化と矛盾することになるのであろう。それにしても、ヒトの由来を別にすれば、IDや創造科学が主張する議論の対象になる問題が創世記から読み取れるのだろうか。ここに登場しない大多数の生物に関しては、聖書は何も規定していないことになるのだろうか。

イギリス放送協会が制作した科学史の放送大学テキスト『創造と進化』（1974/2006）では、この問題を詳しく論じている。本質的な問題は、聖書そのものの本質に関わる神学的・哲学的研究が19世紀に大きく変化したことだという。研究によって、聖書の作者は複数であることがわかり、神の霊感を受けて筆記したものとは考えにくくなった。このテキストの著者によれば、キリスト教にはヘブライ的なものとギリシア的なものが混在していて、伝統と思われていた「霊感」はギリシア的なもの、つまり、あとから付け加わった考え方だという。アーノルド・サールウォルのグループの教養ある少数派は、

既に『聖書』の伝統主義的教義を捨て、人間が聖霊の霊感のもとで自らを理解し、発見し、吸収できるように、神が次第にその真実を明らかにしてきたので、この聖霊の導きはどの時代においても人間の理解の限界に適応できたという新しい見方を採り入れていた。（……）『聖書』は、この世の書物と同じように書かれていた。両者の相違はその主題、つまりそれらが扱う真実の種類にある。『聖書』の諸作者は単なる「聖霊の手中にあるペン」ではなく、実際に霊感を与えられていたが全知ではなく、彼らの時代に続く何世紀にもわ

たって発見された真実については、あずかり知るところのない人々なのであった。(『創造と進化』p.203)

つまり、科学対宗教というような対立の図式は副次的なもので、宗教そのものの中に重要な対立があったことになる。また、「進化」を受け入れる素地《そじ》として、19世紀に「進歩」の概念が定着してきたことが挙げられており、その大きな原因は産業革命であった。驚いたことに、それ以前の考え方では、歴史は退歩していくと思われていたが、啓蒙思想により、理性による進歩が信じられるようになった。それでも、19世紀のイギリスやヨーロッパでダーウィンの仮説を受け入れる際には、以下のようないくつかの難点があった。(1)情報伝達の困難さ(一般の人々は教育を受けておらず文盲だった)、(2)苦難の問題(生存競争という苦難に満ちたこの世界を神がなぜ作ったのか)、(3)デザイン論(神学における神の存在証明の一つで、目的論とも呼ばれる)、(4)進化の機構が分からないという問題、(5)人類は特別な被造物なのかどうかという問題、(6)社会ダーウィニズム(社会生物学にも通じる問題)。このうちで、(4)は未《いま》だに完全な解答があるわけではない。

ここで出てくるデザイン論は、現在アメリカで猛威をふるっているIDの原型であり、歴史的には、トマス・アキナスが神学を合理的なものとして整備したときから、神の存在証明が考えられてきた。デザインもその有力な証明法の一つで、ペイリー(Paley 1802/2009)によって強く主張された。彼の論理は、ドーキンス（Dawkins 1986/2004）の『盲目の時計職人』の冒頭で引用されており、道に時計が落ちていたら、それは非常に精巧にできているので、製作者が居るはずだと考えるだろう。同じように、この自然は非常に精巧にできているので、誰かがデザインしたと考えられる。それが神である、というものである。しかし、精巧にできているように見えるものの背後にデザイン（作り手の意図）があるのかどうかは客観的事実ではなく、そう思えばそうかもしれないという程度のものである。そのため、これが神の存在証明になるという理論は決して強力なものではない。にもかかわらず、ＩＤはこれに固執するのである。それは、上に挙げられた問題の（5）人間の位置づけが関わってくるためであろう。しかし、それも聖書の記述だけでは何とも言えないように思われる。

そもそも、あらゆる科学の知識は完璧に証明されたものとは言えず、つねに未来を見据えて証明する努力を続けるものだということは、この本の最初から私が強調してきたことである。ＩＤはあくまでも宗教・信仰の問題なので、過去に真実を想定し、真実はすでに固定された確実なものと言う前提で話をしているのである。はじめから話がかみ合うはずはない。このことの問題は、その信仰を共有しない人々にとって、その「真実」は何ものでもないことである。かつてお釈迦様が悟りを開いたことなど、この人々には何も訴えないであろうが、悟りを開くために日々努力をする態度の方が、よほど科学的態度に近い。科学的知識は、人類共通の努力によって、将来に向かって築き上げていくものである。

一言で宗教と言っても、それぞれ全く異なる。もちろん、ユダヤ教、キリスト教、イスラム教は、旧約聖書を共有している点で、本質的には同系統の宗教であり、一神教である。仏教は全く異なるし、仏教が分離したバラモン教や今のインドの主要な宗教であるヒンドゥー教とも異なる。まして、日本の神道はさらに別物である。昔のケルト人やギリシア人、ローマ人もそれぞれ異なる宗教をもっていた。英語で宗教を意味する religion の原語はラテン語の religio であるが、これは、こうしたさまざまな異教（キリスト教から見て）を表していた。しかし、現在、欧米人に日本人の宗教は何だと聞かれたときに、神道あるいは仏教と答える人は少なく、無宗教という人が多いようである。確かに、定義からして、欧米でいう religion はいまや一神教のことで、それ以外の異教を表す言葉ではなくなっている。欧米人の中には、一神教でなければまともな宗教ではないと公言する人もいる。たぶん、授業（公教育では宗教自体は教えられないとしても、一神教は宗教を考える前提になっているに違いない）や教会の説法でそのように教え込まれるのであろう。「宗教」という言葉自体にも、キリスト教という、理論負荷性ならぬ宗教負荷性があることを、日本人の側からは指摘するべきであろう。そもそも宗教とは何か、国際化の時代、日本人もしっかり考えておく必要がある。キリスト教に限らず、一神教の人々は、非常にしっかりとした理論武装教育をたたき込まれているので、それに対抗するのは容易ではないが、何か偉そうなことを言われても、それは学校で教わっただけだろう、本当に分かって言っているのか、世界の宗教について考えたことがあるのか、などと反論することは大切だと思う。多神教のもつ寛大さ、多様性の共有、多元的な思考など、さまざまな良さを述べることができるはずだ。

進化の問題での解決法を考えるとすれば、『創造と進化』で指摘されていたように、聖書の読み方を変えることに尽きるのであろう。19世紀のイギリスのように、知識人だけが議論に加わる状況ならば、聖書の新たな見方で統一されたのであろうが、現在、原理主義はキリスト教でもイスラム教でも力を持ってきている。さまざまな紛争に対する短気な反応なのかもしれない。ともかく、聖典を字義通り解釈するということに固執するようになり、それは一般人にも受け入れられやすい。それでも現在のＩＤの問題が進化論に集中しているのは、人間はサルではないという非常に分かりやすい訴え方ができるからであろう。進化論を否定する人々は、今のわれわれが、今のサルの親戚であることを拒否することにより、世界における人間の特別な地位を保証することを求めている。進化論は、今のサルが今の人類に変身したということを述べているわけではないのだが、ＩＤを主張する人々がもっとも攻撃したいのは、「サル」と人間の同等性であろう。もしも、「創造」の範囲を現存する生物や人類で定義すれば、創造論者と科学者の間で問題は起こらないはずではないだろうか。さまざまな問題が「議論領域」を明確化することで解決するように思うが、それでも、後で述べるように、人間存在の実存の問題は解決しないかもしれない。

3　科学は価値観と無関係か

倫理は科学を応用するときに問題となり、科学自体が倫理的であるかどうかという問題はないと考える人々は多い。一方で、科学は価値観と無関係ではないという考え方もある。何を研究するかを選ぶこと自体が価値判断である。データの理論負荷性の議論とも重なる。応用を意識した研究テーマの選択もある。

オカーシャが特に詳しく述べているのは、歴史的にも重要な論争の的となった社会生物学の問題である。価値負荷性が特に現れるのが、進化心理学（初版では社会生物学）だからである。初版では近親相姦の忌避が主要テーマとして記述されていて、近親相姦の忌避が遺伝的に組み込まれたことであるかどうかは、ウィルソン（Wilson 1975）に始まる社会生物学の大きなテーマであった。さらに、攻撃性、レイプ、外国人嫌い、男の性的放縦などが、自然選択の結果、（人類の進化に有利な形質として）遺伝的に組み込まれているとされた。反対者からは、これは素朴な遺伝的決定論であり、これらが犯罪の言い訳に使われることとの懸念が示され、イデオロギーの問題にもなった。

進化心理学は、社会生物学の問題点を改善して生まれた研究分野とされる。それでも、やはり、既存のステレオタイプを強調するという批判は残るとオカーシャは述べている。これに対して、事実と価値を区別するという考えもあるが、簡単ではない。不倫は科学の問題ではなく、倫理の問題であるが、科学的説明をつけようとすると問題になる。以下、第2版で大幅に増補されたオカーシャの見解を追ってみよう。精神疾患についても、何が病気で、何がそうでないかは簡単に決められないという問題がある。同性愛などは、以前は精神疾患の一種とされた。何を病気と考えるかは、どうしても価値判断と切り離せない。心と脳の関係を考えたとき、脳は身体の一部なので、他の身体の病気と同じ扱いができるかもしれない。そうなると、精神疾患はどう扱えばよいのか、まだ課題が残る。自閉症や多動性症候群ADHDなどになると、それらが単一の病気かどうかもわからない。自閉症はさまざまな徴候の集まりであるため、今は自閉症スペクトラム障害ASDと呼ばれる。また、病気に関する議論は、もともと規範的で価値負荷的だという考えもある。これに対して、規範的に見えるのは見かけの問題で、身体の機能は客観的に定義できると考える哲学者もいる。たとえば、心臓の機能はポンプであることなど。同じことは精神疾患についても言えて、脳の特定の部分の機能が適切に行われないことで説明できると考える人もいる。進化の過程で獲得された機能を考えれば、本来の機能が何であるかがわかるという考え方である。

オカーシャの結論としては、二つの例は異なるということである。最初の社会生物学の例では、科学が既存のステレオタイプを増強することになるので、起こりうるバイアスを避ける努力をすべきである。二番目の精神疾患の例では、価値判断は本質的で、これを避ける方法は難しい。なお、精神疾患については、前に挙げた『心の哲学』にかなり詳しい解説がある。残念ながら、結論としてオカーシャが述べている文章は、何のために科学哲学があるのかをむしろ曖昧にするものではないだろうか。私にもよい解決法があるわけではないが、病理の問題はさておき、以下、もう少し私なりの議論を展開したい。

4 科学と倫理

科学の客観的価値については、1970年に出版されたジャック・モノーの『偶然と必然』(Monod 1970) の第9章ですでに述べられていた。モノーは「デカルトの科学的方法」に従って合理的に考えて、客観的知識の倫理を採用すれば、人間社会の問題はすべて解決するという立場で、以下のように述べていた(私による要約)。

客観的な科学的知識を価値観として採用するということは、倫理的選択であり、これが「正しい知識に基づく価値観」である。これは、すでに『方法序説』において、デカルトが行った選択でもある。人間はこれだけでは満足できずに、それを超越し、個人を超えた理想として、社会主義の夢をいだく。これは、人間自らが選択する価値観であり、真のヒューマニズムである。人間は生命世界と思想の世界に同時に所属するという二重性をもった、不条理とは言えないが、奇妙な動物である。知識の倫理は、社会生物学的な根拠に基づいて、勇気や利他行為などを、理想実現のための超越的な価値として認める。こうした考え方によって、新たな本当の社会主義を構築するのが、混迷から抜け出て、人間らしい思想が導く「超越的な王国」（人間独自の王国）に残る方法である。（佐藤 2012b, p.83, 一部改変）

遺伝子発現の基本的しくみを解明したジャック・モノー（Jacob & Monod 1961）は、科学的知識は客観的なものであり、この知識を倫理とすれば、理想的な社会が作れると信じた。これを読んだ人は誰も賛成しなかった（佐藤 2012b 参照）。動物は自然選択で進化したが、人間だけは別で、自らの選択によってさらに優れた社会を築くことができると、モノーは信じたようである。現代社会はこのような単純な価値観では生きていけない。多様な価値観がぶつかり合い、科学的知識といえども、国家の利益によってどのようにでも変えられてしまう。科学は非常に大きな予算を食うようになり、科学者の自由な発想だけで遂行することはできなくなっている。研究費が振り向けられる分野に飛びつき、言われるがままに、あたかもすぐにでも応用が可能であるかのように成果を報告することの繰り返しである。現代生物学の50年史（第7章9節）でも述べたように、こうした社会的状況が、研究不正は別としても、論文の書き方さえもねじ曲げかねないという危惧がある。特に、人間の健康や医療に関連した分野の研究には、こうしたバイアスが著しい。オカーシャの最後のまとめも、科学と技術が混ざったものになっていたが、技術的な問題と理論的な問題をうまく切り分け、自然の秩序を解明する努力を繰り返すことが科学に求められる課題である。

倫理は第一義的には技術に向けられるが、理学的な科学であっても、実際に実験を行う場合には技術的に可能なだけでなく、倫理的に許されることに限定される。ヒトの受精卵を使った実験などは、人間の生物学の推進にとってはきわめて意義深いものの、倫理面の問題がつきまとう。ヒトでなくても、動物実験には倫理的な問題があり、しかもそのハードルは次第に高められている。知識を獲得することがただ単に人間にとってよいことであった時代は終わりなのかもしれない。人間にとって必要な知識をどのように合理的に獲得していくのか、今の研究費獲得競争の状況を見ると、ベクトルは別の方向を向いているように思える。パトロン企業の利益、病気の治癒、豊かな生活などが資源を重点的に投入される舞台となっている。国連の17個のSDGs（持続可能な開発目標）もしばしば重視される目標である。しかも、たいていの研究プロジェクトでは、このような17個もある目標をすべて同時に達成するようなことを謳っている。これら17の目標が果たして本当に人々の幸福につながるのか、それとも一部のグローバル企業を利するものなのか、一部の国の利益になるものなのか、それぞれの目標が互いに矛盾することはないのか、しっかりと見分けていく必要がある。

5　工学（技術）と科学

すでに挙げた岩波講座『哲学』第9巻『科学／技術の哲学』には、小林傳司氏による「科学技術化する社会に生きるということ」という論考があり、現代の科学技術をめぐる問題を概観している。クーンの通常科学に対する論理実証主義者からの批判を通じて、科学はこうあるべきという規範的対立を指摘している。20世紀後半における科学の変容として、科学技術の巨大化と政策的科学推進を挙げている。科学技術と社会の関係として、ギボンズの「モード論」を紹介している。研究分野自身の問題意識によって自律的に進むモード1の研究と、アプリケーションの文脈において研究課題が設定されるモード2である。ほぼ、純粋研究と応用研究に当たるようで、私が本書のはじめに示した科学と技術の区別にも近いようだが、日本とは少し異なるアメリカでの研究の進め方を表している。モード1の研究が社会から孤立する恐れがある一方で、モード2の研究は知識生産が制度として組織化されず、個別の課題に分散してしまう。技術が個別の問題という点は科学と社会の問題を考えるポイントであり、あとで考察する。小林氏は、これを政治哲学と関係するとして、モード1はコミュニタリアン、モード2はリベラリズムとしている。20世紀後半までの考え方では、科学は中立で、その使い方の善《よ》し悪《あ》しで社会問題が起きるという事実と価値の二元論であったが、トランス・サイエンス（科学を超えたもの）という考え方では科学と政治がつながってくるという。ここで引用した本は2008年の刊行であるが、原発の「すべての安全装置が同時に故障する確率が非常に低い」問題を政治的な判断を含むトランス・サイエンスの問題として挙げている。こうした例として、地球環境問題、ＢＳＥ（狂牛病）事件、遺伝子組換え技術などを挙げていた。その場合、上記のモード2における「社会的・経済的ニーズ」を誰が決定すべきかという問題がある。その場合、それを判定するピア・レヴューへの市民の参加資格として、誰でもよいわけではなく、科学リテラシーを要求するべきなのかという問題がある。これもしばしば問題となるところである。小林氏の文章は、非常に示唆に富む興味深いものである。それでも私は、モード1とモード2の研究の根本的違いに対する理解がこの分野の研究者全体に足りないのではないかという疑念をもつ。おそらく、科学者でない人々（技術者も含めて）には科学がどういうものなのかが分からないのではないかと思う。本当は哲学とも似ているのだが、経験科学という点で、技術と混同されてしまうのかもしれない。

『科学／技術の哲学』には、斉藤了文氏による「エンジニアリングと真理」という興味深い解説がある。エンジニアリング engineering は工学を表す英語だが、最近ではテクノロジー technology も使われる。多くの大学の工学部は前者を使っていると思うが、東京工業大学は後者を大学名にしている。斉藤氏は、この解説の中で、工学における「ものづくりの現場の知識の明示化」を謳っている。すなわち、「環境に適応する知識というものに、理学的知識をインポートしたものがエンジニアリングの知識」という考え方である。前出のモード2に相当すると見られる。斉藤氏は特許や開発に関する話題から、その論点をまとめている。（1）学問の側面（過去の人工物の逆工学、設計ツール、科学的知識）、（2）システムの側面（複雑な系の挙動は簡単には予測できない）、（3）知識を所有する主体の問題（個人、企業）、（4）知識の運用の場面（基礎知識の獲得と現実への応用）、（5）人工物の製作ノウハウ（ものづくりの知識を装置に埋め込む）、（6）倫理的側面（人工物を介した人間関係は、見えにくく、個人よりも法人が関わる）。

これらの指摘は、一般的な科学の議論はもとより、科学技術の問題を議論するときにも見落とされがちな問題であり、非常によいポイントを突いていると思われる。ここでも、工学の問題が個別的で、それぞれの課題に特化した形での科学知識の利用が求められることがわかる。技術と科学は、似て非なるものというよりも、全く別物ということがよく表されている。工学は科学に限らずあらゆる知恵を、ある特定の課題（装置）に結集したもので、その知恵はその課題でしか使えない形になっている。その装置に新たな問題が発生したときには、全く新しくその問題に使える知識を探して適用することが必要となる。それぞれの装置が複雑なシステム的挙動を示し、単に原理から演繹して予測できるようなものではないのである。科学技術をめぐる社会的問題を理解する上でこれは本質的なことであり、技術が個別的知識の集まりという点が、次に挙げられるような、科学技術と社会との問題の解決にも大きな障害となっていることがわかる。

そこで、工学と科学との関係を私なりに図示してみると、図16のようになる。私自身、本格的に工学的な装置を作ったことがあるわけではないが、ソフトウエア開発や、昔作った鉄道模型や電子機器、研究装置などの経験から、こんなイメージを描いてみた。もちろん、自動車などの開発はとんでもなく複雑なのは間違いないので、この概念図を何百倍にも拡張したようなものになるだろう。いずれにしても、ここで強調しておきたいのは、ソフトウエアや装置を作るには科学知識や数学の知識も必要だが、最終的には、システムとしての調整が必須で、実はそこに開発の大部分の努力が費やされるのである。したがって、できあがった装置に実際に不具合があった場合、その関連の部分だけではなく、全体的な再調整が必要になるかもしれない。また、環境負荷を減らすための努力では、すべてのパーツを根本的に入れ替えて、利用する原理まで変更する必要があるかもしれない。こうした点は、結局のところ、そこで利用している原理を教えてくれる科学分野の問題ではなく、それらを組み合わせて利用するシステム工学の問題である。その意味では、科学技術の問題は工学・技術の問題で、それは、システムの設計をする人間の問題でもある。社会と直接に接する技術の問題は、最初から、トランス・サイエンスの問題なのである。そうしたときに、もとの原理を解明したり、そこで使われている現象を解明した科学者に責任があると問うことが適切なのか、もちろん、応用を謳いながら科学研究も進めるものの、科学知識のネットワークと工学的な応用システムとの間には大きな隔たりがあることを認識する必要がある。ｉＰＳ細胞が作れることを発見したことと、それを利用して実際に治療することとは、全く別次元の話であるし、これは開発者の山中伸弥教授がいつも

図16　科学と工学の関係の概念図

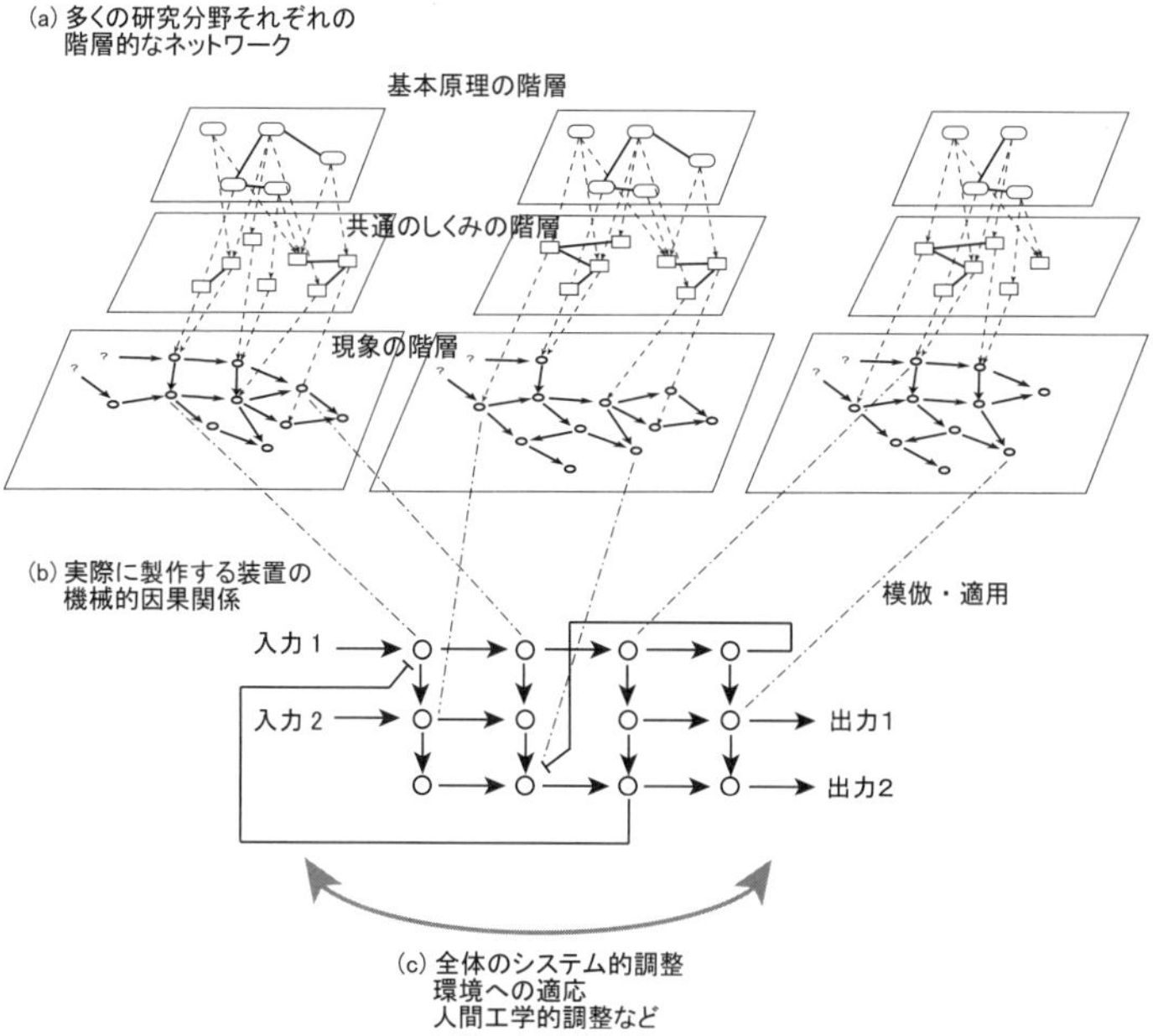

ある特定の装置を作るには、さまざまな科学分野の知識を集めてきて、それらをつないで一つのシステムに仕上げる。人間が使う装置には、人間が操作する入力や環境からの入力があり、最終的に何らかの出力（自動車が動くなど）がある。科学では典型的な研究材料があり、そこで分かったことが科学知識となっているが、一般に、現実に装置を作る場合、もとの科学知識が得られたときの材料とは違うものを使うので、その関係は、例化というよりも模倣や適用ということになる。稀には基本原理をいきなり使うこともあるかもしれないが、通常考えられているように、科学の基本原理がいきなり工学に利用されるわけではなく、実際にどんなことが可能かという実例に基づいて設計が行われると思われる。人工的なシステムなので、全体をうまく作動させるための調整が必要になる。また、実際に利用する際の環境に適応させること、人間にとって使いやすい安全なものであるための配慮なども必要になる。私自身は、ソフトウエアの開発や模型・研究装置製作の経験に基づくイメージでこれを描いたが、あくまでも概念図なので、工学が専門の研究者からはもっと大変なことだと言われるかもしれない。

強調していることでもある。しかし、これは一般の人々にはなかなか分かってもらえない点で、実は科学者自身も、また、科学技術論の論客たちも、曖昧にしている点である。

6　科学技術論の多面性と複雑さ

科学と社会の関係を考える学問分野には、すでに挙げたように、科学社会学や科学技術社会論、科学論などがある。もっと他の名称もあるかもしれない。科学と社会の問題は、主に、科学技術と社会の関係の問題としてクローズアップされることが多い。特に、環境に関する諸問題、医療にまつわる諸問題、AIなどコンピュータの応用に関わる問題、科学ジャーナリズムのあり方の問題、科学教育に関わる問題などが考えられる。こうしたことに関連した書物も多数出版され、そのあるものは通俗的な科学たたき、あるものはジャーナリズム批判、あるものは医師の倫理を追及するもの、えせ科学を批判するものなど、中身はさまざまである。すでに前節で紹介した文献にも関連の話題があったが、いくつか学術的な文献を参照してみることにする。

池内了氏の『科学・技術と現代社会』(2014)は、総合研究大学院大学での講義をもとに作られた本である。著者は、科学や技術の社会的問題について、さまざまな角度から多くの一般向け著書を発表している宇宙物理学者である。当然のことながら、原発問題を大きく取り上げて議論している他、どうしても物理学関連の話題が多く、生物系の話題は通り一遍のものの感じが否めない。池内氏は、原発事故を機に「科学への信頼が落ちた」ことについて、「科学者は、ともすれば科学の良い面しか語らず、マイナス面や限界を越えた場合にどうなるかを語ってこなかったのである。科学者は科学を伝えることについて、もっと正直かつ公正でなければならないのだ」(p.79) と批判している。しかしまた、ナイーブに科学を全否定する人の存在や、エリートの驕《おご》りへの反発など、問題点も示されている。とはいうものの、科学にマイナス面があるのだろうか。宗教との対立でもなければ、科学的知識そのものにマイナス面があるとは思えないのだが、原発事故がらみで、技術と科学の話が混ざっているような感じである。さて、池内氏は20世紀科学・技術と社会の問題点として、(1) 地球環境問題、(2) エネルギー・資源問題、(3) 細菌・ウイルスの逆襲、(4) 人口爆発、(5) 若者の理科離れ、などを挙げている。私自身は、はじめの二つなど漠然としすぎていて、五項目それぞれの重要度も異なるので、この項目だてが必ずしも適切とは思わないが、ジャーナリズム的にはこういう言い方もあるのかと感じる。そのあと、「科学は終焉するのか」というテーマが扱われている。すでに要素還元主義が限界を迎え、ホーガンが指摘するように、純粋科学が「収穫逓減の時代」に入ったのだという。池内氏も、現在の科学がクーンの「通常科学」であり、パラダイム変換を起こすような成果が上がっていないと見る。すでに述べたように、これらのクーンの概念は全く誤った考えに基づくものなのだが、現在の科学論の代表的論客がこのような誤った言葉遣いを続けていることは残念である。しかも、池内氏は、益にも害にもならない論文ばかりが増えていると言う。他方、「複雑系の科学」がこれから発展するという見解も述べている。複雑系自体の説明も中途半端な上に、生命科学も全部複雑系の一部という取り扱いのようであり、やはり物理学者から見た科学像なのか、そこに限界があるようである。

ご自身がこの本の中で何度も「科学者は自分の専門分野以外では素人」という趣旨のことを書いておられるにもかかわらず、さまざまなテーマについて書こうとするがあまり、得意でないことについて、ジャーナリズムのステレオタイプ的なコメントを連ねているように見える。原発や原子力については非常に詳しく書かれているが、バイオテクノロジーはもちろん、地球温暖化問題についての記述などもきわめて歯切れが悪い。おまけに「生物の統一理論」を語るなど、本当に情けない。科学者は確かに自分の専門分野以外では知識が少ないだろうが、日本の理科教育は非常に優れていて、狭い分野以外のこともかなり勉強する。大学受験が厳しいのも、この点ではメリットである。多くの外国では、大学に入学してから詳しい勉強をはじめるので、生物の学生は化学を（基礎ですら）学ばないというようなことがある。そういう意味では、日本の科学研究者は、比較的広い範囲の知識をもち、また、さまざまな課題を理解する能力もあるはずである。一概に、「科学者は専門分野外では素人」だの、「科学者に社会的常識に欠けている人間が多い」（p.388）だのと公言するのは、自分にも跳ね返ってくることであり、かえって誤解を招くだろう。社会的常識とは何か、そして、それを欠く人が本当に一般人に比べて科学者に多いのか、科学的検証が必要である。また、そもそも専門外では素人だと発言をする本人はどうなのだというパラドクスにもなる。

すでに私が『創発の生命学』(佐藤 2018a)で述べてきたように、生命の理解には複雑系に基づく創発が必須であり、科学は「生きている」ことの本質的理解へとこれから向かっていくはずである。現実世界を扱う科学の分野は、まだまだ分からないことだらけであり、私が言うところのネットワークを精緻化する作業はまだまだ続くはずである。そうした意味では、科学の終焉という話は、物理学の一部の分野の話ではないかと思う。逆に、社会におけるさまざまな問題に対処するために、既存の科学の分野の知識を拡充しながら、新たな科学を作っていくことが、今まさに必要とされていることなのである。

さらに具体的な事例を挙げているのが、2009年に出版された『科学技術は社会とどう共生するか』という、早稲田大学での講演会に基づく多数の著者の意見が書かれた本である。全体として、高名な著者が多数執筆している立派な本なのだが、それぞれの人が言っていることが必ずしもかみ合っているわけではない。また、原発事故以前なので、かなりナイーブに原発の問題が扱われていて、地球温暖化の一解決策としても描かれている。講演会をもとにしているためかもしれないが、いろいろ疑問に感じることが書かれている。イスラムと科学の排他的関係などは、過去にイスラム科学が科学革命につながったことを完全に無視して書かれている。

また、科学ジャーナリストのお粗末さを指摘するコラムなどもあるが、そういう人ばかりとは思えないし、ジャーナリズム側にはそれなりの論理があることも、あとの対談の中で披露されている。科学教育がらみで、えせ科学を糾弾する文章も含まれているが、教育をどのようにすべきなのかは、突出した意見だけで考えられるものではない。その中で扱われているアメリカの創造科学と進化論の問題など、一方的にえせ科学と言っていられない大きな社会問題もあり、この文章で議論されている「水」のイメージの問題もあまり簡単なものとは思えない。進化についてはニ人の著者が書いているが、一般人には進化というイメージがきわめてわかりにくいことが指摘されている。しかも、専門家や教科書の著者にも分かっていない人がいると指摘されている。しかし、誰も分からないことは教えられないはずである。人種差別につながる遺伝的決定論の批判なども述べられているが、それぞれの問題はそれぞれにもっとしっかりと解説が必要だと思う。どちらかというと、講演会でいろいろな先生方が、言いたいことだけを言いっ放しにした感じで、それが科学技術論の現状を表しているとも思える。何も正解がない中で、それぞれの「専門家」が言いたいことを言う．科学技術と社会の関係ではいくらでも問題はあるので、文句を言いたいことはいくらでもあるだろうし、それぞれの文脈では正しいことかもしれない。しかし、科学技術論を考えるしっかりとした土台はどこにもないように見受けられる。それは、やはり科学哲学を基礎とすることに尽きると思う。ひどいことに、この本の中である著者は哲学を馬鹿にしていた。そんなことで科学と社会の関係を理解し、改善できるのだろうか。

それでも、一つ興味深いことが書かれていた。最後の方の対談で、輪湖博氏が、物理学の出身である自分が生命科学を大学で教える際に戸惑う点として、生物学の法則には例外があること、遺伝子の働きがきちんと理解できるものになっていないこと、ヒトの遺伝子などで個人差をどう理解するかなどを挙げていた。物理学の既知の知識だけに基づく杓子定規な教育を前提とした発言のようだが、同じ不満は、私が勤めていた東京大学教養学部でも、しばしば物理系の先生たちから聞かれた。物理学の基本事項がすでに完全に固まっていて、少なくとも学部教育レベルで教える内容は、完全無欠、疑いようのないきちんとした理論体系であるのに比べて、生物学の知識が曖昧なもの、不完全なものに見えるという「ぼやき」である。先に紹介した池内氏もそうだが、いまだに、科学はできあがった真理の体系だと思っている特に物理系の学者が多いのである。そう信じれば話は単純かもしれないが、それでは宗教と同じである。本書でずっと述べてきたように、物理学でも生物学でも、永遠に制作中であって、つねに作り続ける努力そのものが科学なのだと私は思う。科学に対するきわめて固定的な見方は、科学技術と社会との関係を考える上でも致命的になると思う。

『科学技術は社会とどう共生するか』の中で、唯一、私がなるほどと思ったのは、最後の医療問題の対談である。私も利用している虎の門病院の医師小松秀樹氏が医療の問題点をさまざまに議論していた。確かに、少し前から虎の門病院の中に患者に向けた張り紙が掲示されたりして、いろいろ改革をしているらしいことは分かったが、その推進者の一人であるらしい。司法と医療で別々にものを考えるシステムがあって、それがぶつかることなど、言われてみないとなかなか分からない点である。

端的にいって、本屋の科学技術論の棚にある本には読んでもしようがないお粗末なものが多い。ただ単に気に入らないことに文句を言っているだけのものが多い。その意味では、上記の何冊かの本は考えるきっかけをくれた。科学と社会、科学技術と社会、医療や教育の問題など、まだまだ考えるべきことは多いが、科学哲学の応用問題ということになろう。

7　感染症問題と医学・技術の無力さ

この文章を執筆しているときに、新型コロナウイルスの流行が起きた。名前はCOVID-19となった。コロナウイルスは、ＲＮＡ（プラス鎖）を遺伝情報の保持体とし、表面にSタンパク質が多数突出した膜に包まれた構造をもつことが知られている。このタンパク質がヒトの細胞の表面に出ている特定のタンパク質に結合することで、ウイルスが細胞に侵入できるようになる。ＲＮＡはｍＲＮＡとしてそのまま働いて、ゲノムを複製する酵素を生成し、これがＲＮＡのマイナス鎖を合成する。このマイナス鎖ＲＮＡからさらに、プラス鎖ＲＮＡが大量につくられ、これが新たなウイルス粒子に取り込まれることになるとともに、翻訳されて、ウイルスを構成するタンパク質をつくり出す。すでに起きたSARSやMERSなどの大流行もこれに似たウイルスが原因だった。エイズの原因となるHIV（ヒト免疫不全ウイルス）もRNAウイルスだが、たちの悪いことに、逆転写されてDNAができ、それがヒトのゲノムに組み込まれてしまうと、ずっと細胞内に居続ける。コロナウイルスはそこまで悪質ではないので、単にウイルスをやっつけてしまえばおしまいのはずだった。

こうしたことは科学的事実として分かってきたが、実に驚くべきことに、このウイルスに感染した患者に対してできる治療は、酸素吸入で生命を維持し、その間に自身の免疫が働き始めるのを待つことだけなのだそうだ。しかも一度治ったように見えても、再度悪化するという、免疫システムが十分に機能しないリスクも指摘されている。この科学・医学の進歩した現代において、感染症を積極的に治す手立てがなくお手上げだという、信じられないようなことが起きている。上に書いたように、コロナウイルスとはどんなものか、どうやって増殖するか、遺伝子の特徴などは科学的に分かっているが、感染による病気自体は手の施しようがないということになる。前のSARSと今回のCOVID-19は、ウイルスとしては非常に似ているそうだが、遺伝子が分かったからといって、感染の仕方や症状の重さなどが説明できるわけではない。これは、科学知識と医学という技術との乖離の明確な例であろう。

この話ですぐに思い出したのは、アルベール・カミュ（Camus 1947）の『ペスト』という小説である。戦後のアルジェリアのオランというかなり大きな街を舞台として、ペストが大流行したと想定した話が綴《つづ》られている。主人公の医者は奮闘するのだが、有効な手立てはなく、多くの人々が死んでいく。むなしさばかりが実感される。カミュはこの話で、人間の実存の不条理を描こうとした。ニーチェの「神は死んだ」という言葉で表されるように、人間存在がそこに存在する根拠を神から与えられなくなり、なぜそこに存在しているのか、何のために生きているかという理由がわからないというのが、実存主義の大きなテーマである。それだけでなく、戦争や感染症により、昨日までふつうに生きていた人々がどんどん死んでいく。そうしたときに、人間のはかなさ、むなしさを感じると同時に、それが人間の本質なのだということを伝えている。進化論をめぐる問題がアメリカの人々から危険視されているのも、人間存在の優越した地位に対する脅威という点で、実存思想と同様だと受け取られているのであろう。しかし人間の優越性を否定したことで、現代の思想は成り立っている。今の若い人たちにはこうした実存主義の思想は響かないかもしれないが、今回のコロナウイルス騒動は、そんな『ペスト』を思い起こさせてくれる。

実際問題として、過去にペストは大きな被害を出してきた。ブリューゲルの「死の勝利」という絵画は、ヨーロッパでのペストの大流行をモチーフとしている。しかし、ペスト菌という細菌が原因であることを、北里柴三郎とアレクサンドル・イェルサンが1894年に突き止めた。いまではネズミの駆除による予防と抗生物質による治療により、ペストが残る国はごくわずかになった。ワクチンも存在する。また、診断は、抗ペスト菌抗体による試験が簡便で効果的とのことである。こうした点は、感染症を撲滅してきた医学の成果であるが、細菌ではなくウイルスが病原体の場合、直接に病原体を除去することがきわめて難しい。毎年大流行がおきるインフルエンザは何とかワクチン接種で予防することができ、タミフルやリレンザなどの特効薬も使われはじめた。しかし、他のウイルスの対策は簡単ではない。ＨＩＶ（ヒト免疫不全ウイルス）の場合、ウイルスの増殖を遅くすることで、発症を遅くすることしかできていない。このあたりはまだまだ医学が十分な力を発揮できない分野なのである。コロナウイルスに対してできることは、手を洗うこと、他人との濃厚接触を減らすこと、不特定多数の人々が集まるところに行かないこと、などしかない。マスクも予防にはあまり効果が期待できない。ニュース報道を見て、多くの人々は、「なんできちんとした薬がないんだ」、「ワクチンはないのか」、「検査はもっとたくさんできないのか」、「政府は何をしているのか」、「船に閉じ込めるのは人権問題だ」などと腹を立てるのだが、それが今の医学の現状なのではないのかと思う。科学や医学でできることは、本当に限られているのだと思う。感染防護やさまざまな立派な対策も、おそらくこうした実践例の積み重ねの上に作られるものと考えられる。

ゲノム解読など、人間の知識が追いつかないくらい発展している分野もある一方で、いくら知識があっても有効な治療ができない医学の現実もある。科学に対する過度な期待と自信が裏目に出て、何でも科学でできるだろうとか、どんな病気でも医学の力で克服できるとか、安易な憶測がはびこっている。それは、原発の放射能が飛散したときにも起きた。人間の力ではどうにもならないことが起きても、誰かの責任にすることで解決しようという考えは根強い。直接の原因はあるにしても、現実に起きてしまった大災害に対して、どのように対処するのか、昔なら諦めるしかなく、できる範囲での心の整理くらいしか対処法はなかったであろう。今は、こんなことがあっていいはずはないという人権や法律論と、誰かがなんとかしてくれるだろうと、どこか子供が親にすがるような気持ちを人々全体が抱いているように思う。自分には責任がなく被害者だ、立場のある誰かが責任をとるべきだということを主張する。しかし、難しい状況はなかなか変えられない。人類は幼児化（ネオテニー）で生じたとされ、大人になるのを遅らせることにより、知識の獲得を可能にし、他人への継続的な依存からコミュニケーションを活発にするように進化したと言われる。その意味では、いい大人もみんな子供なのかもしれないが、起こりうる災い、特になすすべもなく襲われる大災害に対する覚悟くらいは決めておかなければならないだろう。こうしたトランス・サイエンスの領域には、うっかりするとオカルト・迷信・デマや宗教が入り込む余地があるが、哲学こそが活躍する場でもある。

技術に関して言えば、科学技術はきわめて無力である。できることはきわめて限られている。それは、便利な商品があふれかえっている現代であればこそ、その落差は大きい。それぞれの商品は、特定の目的で機能するように作られ、それ以外のことが起きたときや目的外の使用、想定しない環境での使用などに対する対策は、少なくとも最初からは施されていない。地球の温暖化は人間の生産活動の結果であるのかもしれないので、それも想定外の問題だったのだろう。一方で、温暖化を人間の力で止められるという考えは、どこかで、自分たちが誠意をもって努力すれば、いずれは誰かが助けてくれるだろうという甘えの裏返しのような気がする。残念ながら、人類は、地球環境を変えることができたためしはない。昔のマルクス主義では、人間の力で自然を改変して、人類が何不自由なく暮らせる世界をつくることを夢見た。資本主義も同じ幻想を抱いた。もちろん、豊かな物質文明により、人間社会を変えたと言えるかもしれない。しかし、実際に起きたことは、物質文明の裏返しとしての資源の枯渇や環境汚染でしかない。それでも環境汚染は部分的に改善することができた。日本の河川はずいぶんときれいになったのはその一例である。地球温暖化問題も同じように改善可能と考えたいのは理解できる。しかし、私は懐疑的である。国際企業が自律的に利益をむさぼり、GDPを増やしつづけるのが先進国の至上命令というグローバル経済のなかで、二酸化炭素排出をどれだけ抑えても抑えきれるはずがなく、多少抑えたとしても気温を下げる効果など期待できるとは思えない。排出権取引などごまかしでしかない。さまざまなキャンペーンは、温暖化問題を利用して利益を上げようとするグローバル企業を利するばかりのような気がする。ウイルスも経済もグローバル化によって勢いづくのは共通のようである。皮肉なことに、新型コロナウイルスへの対策により経済活動がかつてないほど落ち込んだが、そのことは温暖化ガスの放出を減らし、温暖化を遅らせられるかもしれない。少なくとも、人間による温暖化ガスの放出制限が地球温暖化を防ぐのに有効かどうかが分かる実証実験にはなるかもしれない。毒をもって毒を制すということだろうか。

どうも技術の無力さばかりが目立つのは、人間の技術に対する期待が大きすぎるためかもしれない。目的をもって作る商品は技術の威力を見せつけてくれる。しかし、想定外の副産物やトラブルが生じたとき、それを回避することはきわめて難しい。何か困ったときにドラえもんならすぐに対策となる秘密道具を出してくれる。しかし端的に言って、予想しないことに対して、技術はかなり無力である。上に引用した「エンジニアリングの知識」でも述べられていたように、製品は人間の知識を埋め込まれたものなのだが、想定しない場面にはすぐには対応できない。自動車でも何でも、実際の製品を売り出す前には、さまざまな使用環境を想定して安全に正しく機能するようにテストと改良を繰り返すものではあるが、現実には想定しない問題はいくらも起きる。コンピュータソフトでも、頻繁にアップデートが来るのは、セキュリティホールと呼ばれるプログラミングのミスを修正するためである。ソフトウエアは開発後にも修正できるが、製品や環境汚染はそうはいかない。

こうした技術の無力に対して、取り組むことができるのは科学しかない。こういう場面で、科学と技術は異なってくるのである。その意味で、科学を含む理性の可能性には期待したい。これまで人類が蓄積してきた知識はきわめて大きいし、それは誤りも含むだろうが、修正され、さらに知識は増え続けるだろう。本書で述べてきたように、未来に真理がある科学は、今現在で捉えれば絶対的知識ではない。絶対的な礎《いしずえ》とは言えない。それでも、ものを考える材料を提供してくれる。人間生活に活かすのは、技術ではなく、科学知識をもとにした、理性の力であろう。もちろん科学や理性そのものが価値観や倫理を導き出すものではない。しかし、理性に基づく冷静な状況判断なしに価値判断ができるはずもない。人間生活の何に価値を置くのか、何を幸せと思って暮らすのか、人生の目標はどこに置くのか、こうした、価値観・倫理観は、理性の力に裏打ちされた幅広い見識を背景としてのみ得られるはずである。そのとき、科学哲学にも大きな役割があるに違いない。

第10章

科学哲学の可能性

1 科学哲学がもちうる先導的役割
2 科学知識の信頼性
3 科学の営みに基づく科学知識の見方
4 日々更新する科学知識
5 新しい科学哲学像へ

1 科学哲学がもちうる先導的役割

科学哲学はどうしても科学の後追いになりがちである。科学の進歩を追いかけながら、その合理性を追認したり、問題点を提起したりすることが多い。しかし、哲学が科学に先回りして、可能な知識の広がりを示すことなどもあり得るのではないか。ロボット開発の研究が、手塚治虫など過去のアニメの空想の世界の具現化を目指して進められているのが、一つのお手本のようなものかもしれない。進化の議論など、新しい知識に必ずしも振り回されなくても進められる原理的な問題もあるだろう。どちらかと言えば、すでに分かるべきことはだいたい分かったと考えてもよいと、私は思っている。前にも述べたように、人間が持っている科学知識はきわめて限られたものかもしれないが、それでも、人間がある程度努力して得ることのできる知識の全体像はだいたい出そろったと見てもよいのではないかという意味である。少なくとも私たちやその次の世代が生きている間に、大きな知識の変化があるとは考えなくてよいと思う。あるいは、本書で扱った論理や説明の方法が大きく変わるとも思えない。実際、多くの未来小説やアニメの世界の大部分は、まだ実現されていない。携帯電話の普及などはその一部だろうが、宇宙基地のようなものは実現の見込みすらない。そもそも思考方法が変化するとは誰も考えていない。唯一、将来、ＡＩが世界を支配するかもしれないという予測・危惧くらいが、議論の対象になる程度である。すでに書いたように、ＡＩの能力が飛躍的に伸びて、別次元のものになる見込みは少ない。人間の想像力のほうが、現実を上回っているようである。そこで、今ある知識を最大限利用して、その構造を組み立て直すことにより、人間が持てる知識の広がりを見据えることが現実的である。その中で、科学と人間、科学と社会、技術と社会の関係を科学に先んじて構築していくことが、科学哲学に求められる役割であると思う。

2　科学知識の信頼性

社会においてもっとも問題となる科学的知識の信頼性に関しては、科学的発見のしくみについて、旧来の型にはまった科学哲学（論理実証主義でも経験主義でも）から抜けだし、本当にどのような過程で新たな知識が得られるのか、科学者の立場からもていねいに理論化していくことが重要である。科学的知識は数学の知識とは異なり、科学者の営みとともにつねに変化していくものである。

すでに扱った内容から振り返ってみると、科学に対するさまざまな疑念が示されている。まず、帰納的推論に対する疑いの問題がある。この問題は古い問題ではあるが、現在の科学にもあてあまる。すでに述べたように、帰納的推論も、原理的疑念はさておき実際に実験を行った範囲内で推論する限りは誤りはない。それを超えて拡張しようとするときに問題が起きる。もちろん科学実験を行うのはその実験の範囲内だけで通用する法則を知りたいためではなく、実際に行った実験を越えて、普遍的に通用する法則を知りたいのである。その意味では、必ず不確定な要因が残る。さらに、実在論と反実在論の論争からも、実験を行ったことによって分かる真実が実際の世界の姿を反映したものなのか、単に理論的に考えられる一種の虚像なのかという点が問題となる。一種の虚像つまりフィクションであれば、科学知識が語る内容がどこまで真実なのか、当然不安になる。フィクションの範囲内だけということかもしれない。それでもその科学知識を使った技術でつくられたものの安全性や信頼性については、フィクションと言い抜けるわけにいかない。また、科学理論体系を支えるパラダイムが本当に存在するとすれば、パラダイム選択は一種の宗教選択のようなものだということなので、そのパラダイムが果たして合理的なものであるのかも分からなくなる。データの理論負荷性を考えると、同じデータが支配的な理論によって違う結論に導くかもしれない。明日は別のパラダイムが支配するかもしれないとすると、今現在の科学知識の信頼性は著しく低下する。このように、科学の営みに対する哲学的な疑いを突き詰めていくと、現在真理とされる科学知識の絶対性が大きく揺らぐことになるかもしれない。しかし、それは科学に対する考え方に問題があるからではないだろうか。

では、科学知識はすぐに書き換えられてしまうような「はかない知識」なのだろうか。科学的方法によって獲得される知識は、人間の作為や恣意と比べればはるかに客観的なのではないだろうか。これまで科学によって得られた知識を活用した技術の大成功は人類の生活を支えているではないか。科学はしっかり進歩を続けており、それをむやみに疑うのはおかしいのではないか。こうした声も、講義の受講者からは聞かれた。科学知識は絶対ではない。これも受講者の多くが賛同した考えだった。

3　科学の営みに基づく科学知識の見方

私自身も科学研究を進めてきた立場であり、今の科学知識がただ単にでたらめだというようなことを言うつもりはない。しかしまた、実際に科学に携わってきた立場から言うと、さまざまな科学知識は、それぞれの研究者の努力の結晶であり、その努力の一つ一つがきわめて人間的な営みである。論文の中では証明されたことになっていても、実際には気づかない落とし穴があるかもしれない。また、やむを得ない実験誤差のために、誤った結論に導かれていることもあるかもしれない。また、研究者の思い込みのために、適切な実験設定ができていなくて、主張通りのことが証明できる実験になっていないかもしれない。科学研究の現場は必ずしも、論理実証主義者が考えるような明確に白黒つくような実験ばかりではなく、また、論理的にあるべき姿の通りの実験がどうしても難しいこともある。そうしたことの全体を含めて、それでも多くの研究者が、今現在妥当な考え方として認めるものが科学の定説となっているのである。全員が同じ意見とは限らないし、何か新しい事実が発見されれば、根本から考え直すことが起きるかもしれない。アブダクションは推論としては後件肯定なので正しいものではないと論理学では言われるが、現実の科学の大部分はアブダクションで進められる。それでも多くの確認実験を重ねることにより、考えられる限り他の可能性を排除している。にもかかわらず、全く誰も考えないような可能性が突如現れることはありうる。現実の科学研究の姿は、理論的な科学哲学者が想像するような理想的なものでは決してなく、科学知識のあり方というのもそれに応じて受け入れる必要がある。

　とはいうものの、科学知識が新たに得られている最先端と、これまでに得られてすでに何度も検証されている科学知識とでは、その意味は異なると思われる。アブダクションの正しさは、当然、想定される他の可能性をどれだけつぶしたかにかかっているので、新たに得られる知識と昔からある知識とではその信頼度には大きな差がある。それでも誰も想像しない可能性によって、昔からある知識も含め、知識体系が根本的に崩されることもまた、十分に考えられることである。最先端という意味は、今現在発展している科学のもっとも花形《はながた》の分野という意味に限定されない。どんな分野でも、日々、つねに科学者の努力によって、既存の知識に何かしら新しいものが付け加えられているのである。そうした、今作りかけの科学は、クーンが通常科学と表現したものではない。どんな研究者も、何らかの意味で、今までにない知識を得る努力をしているのであり、パズル解きをしているということはない。知識の体系が網の目のようなものだとすると、その網の目の一カ所をほどいて、網の目を二つにするような「縫《ぬ》い直し」の作業が現実の科学の歩みである。それでも時として、広い面積にわたって全部網をほどいて、全体を縫い直さなければならなくときもあるだろう。それを科学革命と呼ぶのかというと、私は必ずしもそうは思わない。革命という言葉は、後の時代の人々が自分たちの功績を強調したいがために昔の時代をおとしめるために使われているにすぎないように思う。科学は少しずつ網の目を縫い直す気の遠くなるような作業の連続である。

4　日々更新する科学知識

それでも私はこのような科学のあり方に対して、「未来に真理がある」と表現することにしたい。言い換えれば、科学者の活動は、未来にある真理に向かって近づくための絶え間ない努力ということになる。今ある知識が絶対的真理でないことは確実だが、それでも人間は今ある知識を頼りにするしかない。こうした意味で、科学はつねに社会の変遷と結びついている。今ある知識をどのように今の社会で活用するか、今の社会で生きる指針とするか。モノーが述べた「客観的知識の倫理」を固定的なものと考えず、つねに真理を求めていく人間の活動をこそ倫理としていくことが、科学の営みに課せられていると、私は思う。科学哲学はそれを批判的にサポートする重要な役割がある。

本書で私が説明したような科学の進め方に関する理論は、いままで科学哲学では議論されてこなかった。現実の科学の営みをもう少し理解し、科学的推論が論理学とは異なることや、これまで曖昧に仮説演繹法などと表現されてきた科学の方法論を見直すことにより、科学によって得られた知識の活かし方、それにもとづく技術でつくられたものへの信頼性や安全性評価も変わってくるだろう。一般に、科学者は研究を続けているので、一つの論文を発表した後でも、未発表のデータを含め、その研究に関連した内容の研究を継続しているものである。また、一つの論文が出れば、世界の多くの研究者がその内容を追試験することも多い。こうして、科学研究の内容は日々再検討・更新が続けられていると考えてよいだろう。科学知識を使ってつくられるものについても、本来はそうあるべきである。多くの企業では、自社が開発し、販売した製品について、改良研究を続けているのがふつうで、その過程で、すでに販売した製品の問題点などが洗い出されることも多い。現実に、リコールなども、ときどき報道される。また、製品評価技術基盤機構などの公的機関でも、市場に出回っている製品の安全性試験を繰り返しているようである。このような不断の努力が、科学技術でも大切である。そういう意味では、一言で原発は安全か危険かということではなく、現在行われているように、不断に安全性を見直す作業が、本来ならば、原発をつくった当初から続けられてくるべきだったのだろう。多くの「はこもの」は、一度できたらそれでおしまいであるが、科学技術でつくられたものについては、つねに再検証が必要である。

食べ物も医療もそうであろう。一度認可された薬剤は、見直されることは滅多にない。遺伝子組換え食品に対する一般人の抵抗は強いものの、外国に行ったときには平気で食べているし、いつの間にか輸入されたものでつくられた加工食品を日々消費しているのも事実である。一方で、中国やオーストラリアでは遺伝子組換え作物が国家規模で推進されている。遺伝子組換え食品とのつきあい方も、少しずつでも見直すことがありそうなものである。遺伝子組換えを神への挑戦などと考える人はいなくなっただろうが、まだ抵抗は多い。ただ、健康によいという謳い文句があれば、遺伝子組換え食品も認められているし、糖尿病の治療に使われるインスリンなどは、当然、遺伝子組換えでつくられている。食物アレルギーを回避する食材にもそうしたものは増えていくだろう。遺伝病を治すためならヒトの遺伝子操作も許されると信じる人々は多い。iPS細胞を使った治療の倫理性もあまり大きな問題になっていないが、iPS細胞を悪用すれば、クローン人間でも作れるのである。iPS細胞は、当初、本人の細胞でつくるので倫理的にも安全性の面も大丈夫というような触れ込みだったが、その時間を確保できない場合、すでにできている誰かの細胞からつくられた、腫瘍発生リスクのない、安全性が証明されたiPS細胞を使って移植することはできるようである。しかし、認知症やパーキンソン病を他人のiPS細胞からつくった神経幹細胞で治したとすると、その人の思考は誰の思考なのだろうというような疑問が生じる。こうした点も、技術の先行をゆるさないで、つねに検討を繰り返していくことが求められる。

5　新しい科学哲学像へ

こうした社会的にクローズアップされた問題だけでなく、広く、社会で利用されている科学知識や科学技術についても、つねに再確認し、その妥当性を評価することは、科学者の仕事でもあろうが、やはり科学哲学の仕事でもあろう。その意味では、哲学と科学の両方を学んだ知識人をもっと大量に養成することが大切である。（これまでの）科学哲学を馬鹿にしている知識人（文系理系ともに）も少なからずいるのは残念だが、総合的学問としての新たな科学哲学を確立していくことは、今の時代こそ必要なことであり、少しでもこうした分野に関わりをもった私たちの責任であろう。時流に流されずに、冷静に科学を見つめる眼をもった知識人が絶対に必要である。私自身は大きな力を持っているわけではないが、こうした書物を通じて、人々に訴えていくことを続けたい。

あとがき

本書は、2019年度に慶應義塾大学日吉キャンパスで行った「哲学Ⅱ」(科学哲学)の講義の内容に、大幅に加筆してできたものである。はじめにお断りしたように、サミュエル・オカーシャの『科学哲学』という小冊子を教科書として授業を行ったが、私自身の判断で、さまざまな資料を配付し、追加的な説明も行った。実在論などは難しくてついてこられる学生が少なかったかもしれないが、全体としては、約100名の学生たちがかなり努力して理解してくれたように思う。毎回、A5サイズの紙にコメントや質問を書いてもらったのだが、裏側にまで続くような膨大なコメントが数多く寄せられ、それに対して、できるだけ答えるようにした。そうした活動の内容も、形を変えて本書に反映されている。それに加えて、もとの教科書では詳しく述べられていなかった点を、別の資料に基づいて補うことで本書を完成した。基本的な論理学の紹介、科学的説明に関する追加の事例、実際の科学的説明の例として酵素と氷の問題、トマス・クーンの概念形成過程からみた通常科学の意味、科学技術論をめぐるさまざまな問題、進化論と宗教の対立の問題、そして感染症問題などである。しかし、全体を貫く骨組みはおそらく私独自のもので、科学や科学哲学を動的なものと考えるという見方である。これは、前著『創発の生命学』（青土社、２０１８年）でも生命概念についての考え方として示したものであった。

科学そのものを動的な活動ととらえ、科学知識を未来に向けて開かれた知識と考えるのは、ある意味当然のようでもあり、しかし、これまでの科学哲学で採用されてこなかった見方であると思う。今の科学知識を金科玉条、絶対に正しい知識と見なすのではなく、つねに知識を作り続ける活動として科学の営みを考えることで、さまざまなものの考え方が変わると信じる。

本書執筆中、また、ゲラ刷り校正作業中にも、新型コロナウイルスの感染拡大が続き、世の中の閉塞感が強まってきている。外出自粛の意味もなかなか理解されず、一人で行うジョギングは当然問題ないのだが、外に出ているだけで注意されることもあるようだ。外国では確かに外に出るだけの外出も規制されているが、おそらくそれは、知り合いに会って密着が起きてしまうからであろう。日本人はもともと人と人との距離が遠く、挨拶もお辞儀をするには２メートルくらいの距離をとってしまう。普段はそれが通行人の邪魔なのだが、こういうときには幸いしているようだ。４月では、日本での感染拡大の速度は5～8日で倍増と、諸外国での２日で倍増というペースとは異なり、不思議な差が維持されていたが、幸いなことに感染者数の伸びは5月下旬にはかなり抑制された。いずれにしても、薬やワクチンなどきちんとした対策が実用化されない限り、完全に収束することは望めない。こうした場合、科学（医学）の能力への信頼が揺らぎかけるのであるが、大部分の人々が自粛したところで、行動を変えない人々も一定の比率で存在する。すでに『エントロピーから読み解く生物学』（裳華房、2012年）においで述べたように、経済の発展と社会格差は同じ創発現象の一部であり、相伴っている。すべての人が同じように幸せというわけではなく、社会に対する不満もまちまちである。極論、日頃の不満を爆発させて、この際、社会に報復してやろうという人もいるかもしれない。そういうことが起きないようにするには、政治家はもっと細かく心を配る必要がある。大企業は余裕をもって在宅勤務や休業ができるが、零細業者は厳しい。結局のところ、ふだんからくすぶっている社会の格差が、こうした危機によってあぶり出されてくる。

別の問題として、本書で何度も話題にした偽科学というテーマがここでも浮かび上がる。ウイルス感染者の増加に関するシミュレーションを公表する学者が何人も出てきた。北海道大学の西浦博教授（通称、8割おじさん）は公的な委員会のメンバーでもあるが、一方で、個人的な計算結果を公表して、感染拡大への注意を呼びかけていた。多くの報道番組では、これを科学者の仕事として捉えるのだが、本書での定義に従えば科学ではない。単に理論的に、ある条件での感染拡大モデルの計算をしただけで、それが今の現実に適用できるのかも分からない。一人が平均2・5人にうつすという前提での、非常に単純な計算で、計算そのものはその枠内で正しいがとても現実問題を反映したものとは言えない。同じように、多くの学者が、自分の個人的な計算結果をそのまま公表してしまった。科学というのは、専門家集団の厳格な審査を経て研究結果を科学者コミュニティーに公表するもので、いきなり世に出すのは単なる臆見としか言えない。こうしたシミュレーションに基づく警告が多くの生物系の学会でもメールで流されたが、私は「学会の内部はともかく、こういうものをいきなり社会に公表するのはやめてくれ」ということを学会執行部に注意して、一応納得してもらった。科学者が出す知識がすべて科学的なものであるとは限らないということは大きな課題である。偽科学というと語弊はあるが、科学哲学的には明らかに偽科学である。反証もできないというか、するわけにいかない。もちろん政治的な問題として、社会の中の対人距離（ソーシャルディスタンス：「社会距離」は誤訳）を保ちなさいという警告は、実践的な意味をもつ。テレビ出演する医師や「科学者」の中には、科学者の顔をして、というか、科学者の発言と受け取られることを前提で、こうしたことを盛んに主張する人もいる。しかしその発言が科学に基づくのかというと、途中にもう一段階あるように思う。計算で出るのは、ある想定されるシナリオで起きうる状況であり、それを想定する根拠やその計算結果を利用する方法は、医学（疫学）という技術の問題である。医学は病気を治すのが目的で、必ずしも科学的である必要はない。さらにそれを政策に活かすのは、政治的決断の問題である。時間が切迫しているからといって、科学者が個人的な計算結果をそのまま社会に出して、自ら警告を発するというのは、科学的な行いとは言えない。もちろん社会に生きる個人の行動としては自由なのだが、それを科学の仮面のもとにやるのは不適切だと思う。

一方で、感染防止という公衆衛生の問題は、医学だけでは解決しない部分がある。何度も言うように、医学は科学というよりは技術に近いのだが、感染防止・治療の有効策としての技術が開発されるには時間がかかる。技術というのはつねにそうである。問題が起きてから、解決策を開発するからである。こうしたことも本書の中で、ある程度議論したが、いまさらのように現実のものとなっている。以前のSARSにはじまり、今後も同じようなことが繰り返されるという懸念は払拭できず、この際、社会のしくみや働き方や人と人との関係そのものを大きく変革して、いわば「社会の高台移転」（津波の災害を二度と受けないようにと、東北の被災地で行われた高台移転という政策にならい、将来の感染症予防にも活かせるような社会構造の改革）のような抜本的な社会改革が求められているように思う。「新しい生活様式」という考え方はこれに近い。これは単なる個人的感想で，哲学の問題でもないのだが、今行う政策も、将来的な変革につながるような方向のものを優先していくのがよいと思うが、将来像を誰が設定するのかも問題になる。科学知識が社会と接するところ、それは技術や公衆衛生など広汎な領域にわたる。こうした問題が起きたときにいきなり社会問題として取り組むだけでなく、科学や技術の本質から考えることが、日常から求められていることである。本書の最終章にものべたように、科学的知識を総合する学問としての科学哲学の重要性が再確認されたところである。

さらにもう一点だけ昨今の情勢について述べておきたい。感染対策の一環で学校の長期休業が続き、子供から不安の声があがり、全体に学期を後ろにずらしてほしいという意見が出たが、それが9月入学問題に姿を変えて、大議論になった。留学による国際化によって日本の教育を世界に認めてもらいたいという考えである。この際、目に見える業績を残したいと思う政治家たちもこれに賛同しようとしたが、結局、現実の問題が多すぎて、今あわてて決めるのは無理だということになりそうである。そもそも感染がこれで終わるとは限らないのだから、今できることは、少しでも学習の遅れを少なくすることに尽きる。実は、10年くらい前に、東京大学でも、時の総長の思いつきで9月入学の議論が始まったものの、少数の留学生を受け入れることと、学生の留学を促進するだけにとどめ、全体を変えるのは難しいとなった。今回、文化人を気取ったコメンテーターたちにも9月入学に賛同した人が多かったが、誰もそのときの経緯を研究していないらしい。教育は社会との接続部分が大切で、簡単には変えられないことがある。多くの国家試験などの時期にも影響する。私は以前から第二外国語の重要性を訴えてきていて、留学も大切だと思っている。それでも、いまのような議論は安直に過ぎる。4月入学は日本だけだという一見もっともらしい議論は無意味で、諸外国それぞれに入学時期はバラバラなのである。さらに、こちらから留学する際の接続と、外国から来る場合の接続を考えると、どの時期に設定しても、ぴったりあう国は多くない。1ヶ月ずれてもうまくいかない。多くの文化人はこちらから欧米に留学することしか考えていないが、日本に来る留学生は大部分アジアからである。現実に交換留学などを設計するのはニーズが合わないことが多く、また、卒業と入学の時期を適宜融通して調整することも必要になる。現状のように、半年かけて準備してから留学するのでも問題はないと思う。どういう教育をするかは、日本の国際的な地位にも影響し、日本の科学のあり方にも関係する。これも科学社会学の一部かもしれないし、科学哲学と関連する問題であろう。

最後に、哲学の講義を担当する機会を与えてくださった慶應義塾大学文学部哲学科の田中泉吏先生、心に関する話題に引き込んでくださった同じく哲学科の斎藤慶典先生に篤くお礼申し上げます。講義に参加して、積極的に意見を述べてくれた多くの学生諸君にも感謝します。さらに、本書をまとめるに当たり、2019年3月の定年退職以降も大いに利用させていただいた東京大学総合文化研究科の図書館の方々にも感謝申し上げます。最後になりますが、今回の出版を快く引き受けてくださいました青土社、ことに編集部の足立朋也氏にも感謝の意を表します。

佐藤直樹

2020年6月

参考文献

欧文文献

Bach, B., Linnartz, E. C., Vested, M. H., Andersen, A. and Bohr, T. (2014) From Newton's bucket to rotating polygons: experiments on surface instabilities in swirling flows. *J. Fluid Mech.* 759: 386-403

Beadle, G. W. and Tatum, E. L. (1941) Genetic control of biochemical reactions in *Neurospora. Proc. Natl. Acad. Ssi. USA* 27: 499-506

Beller, M. (1999) *Quantum Dialogue.* The University of Chicago Press.（Chapter 14 でクーンの問題を取り上げている）

Bonn, D. (2020) The physics of ice skating. *Nature* 577: 173-174

Brush, S. G. (2000) Thomas Kuhn as a historian of science. *Science & Education* 9: 39-58

Canale, L., Comtet, J., Niguès, A., Cohen, C., Clanet, C., Siria, A. and Bocquet, L. (2019) Nanorheology of interfacial water during ice gliding. *Phys. Rev.* X 9, 041025

Camus, A. (1947) *La peste.* Gallimard, Paris 宮崎嶺雄訳『ペスト』創元社、1950 年

Copernicus, N. (1543) *De revolutionibus orbium coelestium.* 以下の URL より閲覧可能：https://la.wikisource.org/wiki/De_revolutionibus_orbium_coelestium?uselang=ja. 矢島祐利訳『天体の回転について』岩波書店（岩波文庫 青 905-1)、1953 年

Crona, K., Greene, D. and Barlow, M. (2013) The peaks and geometry of fitness landscapes. *J. Theor. Biol.* 317: 1-10

Darwin, C. (1859) *On the Origin of Species by Means of Natural Selection, or the Preservation of Favoured Races in the Struggle for Life.* John Murray, London. 八杉龍一訳『種の起原』上下、岩波書店（岩波文庫 青 912-4, 5)、1990 年

Dawkins, R. (1986) *The Blind Watchmaker.* W. W. Norton & Company, New York. 日高敏隆他訳『盲目の時計職人』早川書房、2004 年

Deichmann, U., Schuster, S., Mazat, J.-P. and Cornish-Bowden, A. (2014) Commemorating the 1913 Michaelis-Menten paper *Die Kinetik der Invertinwirkung*: three perspectives. *FEBS J.* 281: 435-463

Descartes, R. (1664/1964) *Principes de la philosophie.* Œuvres de Descartes. IX-2. J. Vrin, Paris.（1664年のラテン語原文のフランス語訳）井上庄七・水野和久訳『哲学の原理』、野田又夫編『デカルト』（世界の名著22）中央公論社、1967年（哲学原理は4部からなり、哲学を扱った第1部は文庫本などで翻訳があるが、科学を扱った残りの部分の翻訳は朝日出版社の1988年のもののみで、中央公論社のものは第2部まで）

Doolittle, W. F., Brunet, T. D. P., Linquist, S. and Gregory, T. R. (2014) Distinguishing between "function" and "effect" in genome biology. *Genome Biol. Evol.* 6: 1234-1237. doi: 10.1093/gbe/evu098.

Falk, D. (2018) This is why understanding space is so hard. *Nautilus* (on-line) http://nautil.us/blog/-this-is-why-understanding-space-is-so-hard

Feinberg, T. E. and Mallatt, J. M. (2018) *Consciousness Demystified.* MIT Press, Cambridge, MA. 鈴木大地訳『意識の神秘を暴く：脳と心の生活史』勁草書房、2020年

Fischer, E. (1898) Bedeutung der Stereochemie für die Physiologie. *Z. f. Physiol. Chem.* 26: 60-87

Florkin, M. (1972) *Comprehensive Biochemistry.* Vol. 30. A History of Biochemistry. Part I & II. Elsevier, Amsterdam

Fodor, J. A. (1983) *The Modularity of Mind.* MIT Press. 伊藤笏康・信原幸弘訳『精神のモジュール形式：人工知能と心の哲学』産業図書、1985年

van Fraassen, B. C. (1980) *The Scientific Image.* Clarendon Press, Oxford. 丹治信春訳『科学的世界像』紀伊國屋書店、1986年

Galison, P. (2016) Practice All the Way Down. *In* Richards & Daston (2016) 第3章。これは著者のホームページからダウンロード可能。https://galison.scholar.harvard.edu/publications の中の2016年の文献の最後にあるAcrobatのマークをクリックするとダウンロードできる。

Gingerich, O. (2004) *The Book Nobody Read: Chasing the Revolutions of Nicolaus Copernicus.* Walker, New York. 柴田裕之訳『誰も読まなかったコペルニクス：科学革命をもたらした本をめぐる書誌学的冒険』早川書房、2005年

Hacking, I. (1975/2006) *The Emergence of Probability.* Second Edition. Cam-

bridge University Press, Cambridge. 広田すみれ・森元良太訳『確率の出現』慶應義塾大学出版会、2013 年
Hempel, C. G. and Oppenheim, P. (1948) Studies in the logic of explanation. *Phil. Sci.* 15: 135-175
Henri, V. (1903) *Lois générales de l'action des diastases.* Hermann, Paris.
Hume, D. (1739) *A Treatise of Human Nature: Being an Attempt to Introduce the Experimental Method of Reasoning Into Moral Subjects.* 原文はインターネットからダウンロードできる。邦訳多数。たとえば、土岐邦夫・小西嘉四郎訳（部分訳）『人性論』中公クラシックス、2010 年（翻訳名は『人間本性論』もある）。引用した文章の訳は、p. 55 にある。
Jacob, F. and Monod, J. (1961) Genetic regulatory mechanisms in the synthesis of proteins. *J. Mol. Biol.* 3: 318-356
Johnson, K. A. and Goody, R. S. (2011) The original Michaelis constant: Translation of the 1913 Michaelis-Menten paper. *Biochemistry* 50: 8264-8269
Korf, I., Bedell, J. and Yandell, M. (2003) *BLAST: An Essential Guide to the Basic Local Alignment Search Tool.* O'Reilly Media, Sebastopol, CA
Koyré, A. (1957) *From the Closed World to the Infinite Universe.* The Johns Hopkins Press, Baltimore. 横山雅彦訳『閉じた世界から無限宇宙へ』みすず書房、1973 年
Kuhn, T. S. and van Vleck, J. H. (1950) A simplified method of computing the cohesive energies of monovalent metals. *Phys. Rev.* 79: 382-388
Kuhn, T. S. (1950) An application of the W.K.B. method to the cohesive energy of monovalent metals. *Phys. Rev.* 79: 515-519
Kuhn, T. S. (1951) A convenient general solution of the confluent hypergeometric equation, analytic and numerical development. *Quart. Appl. Math.* 9: 1-16
Kuhn, T. S. (1962/1970) *The Structure of Scientific Revolutions.* University of Chicago Press, Chicago. 中山茂訳『科学革命の構造』みすず書房、1971 年（実は、日本語版のために書き下ろされた補章 Postscript - 1969 を含めて、原著第 2 版が出版されたそうである）
Kühne, W. F. (1877) Über das Verhalten verschiedener organisirter und sog. ungeformter Fermente. *Verhandlungen des naturhistorisch-medicinischen Vereins zu Heidelberg.* Neue Folge. Heidelberg. 1: 190-193
Lakatos, I. and Musgrave, A. (1970) *Criticism and the Growth of Knowledge.*

Cambridge University Press, Cambridge.（Kuhn の他、Lakatos、Popper、Feyerabend らが議論を展開した 1965 年の学会にもとづく論説集。Masterman がパラダイムの 21 の意味を数え上げている。Lakatos が研究プログラムについて詳しく述べた次の論文を含む）

Lakatos, I. (1970) Falsification and the methodology of scientific research programmes. *In*: Lakatos, I. & Musgrave, A. *Criticism and the Growth of Knowledge*. Cambridge University Press, Cambridge, 1970

Lakatos, I. (1978) The Methodology of Scientific Research Programmes. Cambridge University Press, Cambridge. 村上陽一郎他訳『方法の擁護：科学的研究プログラムの方法論』新曜社、1986 年（内容的には、Lakatos1970 と同一の文章が、他の論文とともに収められている）

de Lucas, J. V. M. (2011) Hacia una reinterpretación de la ciencia normal: Kuhn y la física de su tiempo (1940-1951). *Asclepio* 63: 221-248（スペイン語）

Machamer, P., Darden, L. and Craver, C. F. (2000) Thinking about mechanisms. *Phil. Sci.* 67: 1-25

Malaterre, C. (2010) *Les origines de la vie. Émergence ou explication réductive?* Hermann, Paris. 佐藤直樹訳『生命起源論の科学哲学：創発か、還元的説明か』みすず書房、2013 年（第 6 章　創発と説明）

Marder, E. (2020) Words without meaning. *eLife* 9: e54867. doi: https://doi.org/10.7554/eLife.54867

Michaelis, L. and Menten, M. (1913) Die Kinetik der Invertinwirkung. *Biochm. Z.* 49: 333-369

Monod, J. (1970) *Le hasard et la nécessité. Essai sur la philosophie naturelle de la biologie moderne*. Seuil, Paris. 渡辺格・村上光彦訳『偶然と必然：現代生物学の思想的問いかけ』みすず書房、1972 年

Morange, M. (2016) *Une histoire de la biologie*. Seuil, Paris. 佐藤直樹訳『生物科学の歴史：現代の生命思想を理解するために』みすず書房、2017 年

Mougel, J., Fabre, D. and Lacaze, L. (2015) Waves in Newton's bucket. *J. Fluid Mech.* 783: 211-250

Nagel, E. (1961) *The Structure of Science*. Routledge & Kegan Paul, London. 松野安男訳『科学の構造』（全 3 巻）明治図書出版、1968-1969 年

Neumann, N. P. and Lampen, J. O. (1967) Purification and properties of yeast invertase. *Biochemistry* 6: 468-475

Newton, I. (1687) *Philosophiæ Naturalis Principia Mathematica*. London.（ラテン語原文）http://cudl.lib.cam.ac.uk/view/PR-ADV-B-00039-00001/ などからダウンロード可能。河辺六男訳『ニュートン：自然哲学の数学的諸原理』（世界の名著 26）中央公論社、1971 年

Nietzsche, F. (1883) *Also sprach Zarathustra*. Ernst Schmeitzner. http://www.nietzschesource.org/#eKGWB/Za-I でデジタル版公開。氷上英廣訳『ツァラトゥストラはこう言った』上下、岩波書店（岩波文庫 青 639-2, 3）、1967 年

Ogawa, S. and Sung, Y.-W. (2007) Functional magnetic resonance imaging. *Scholarpedia* 2 (10): 3105. doi: 10.4249/scholarpedia.3105

Okasha, S. (2002/2016) *Philosophy of Science: A very short introduction*. Oxford University Press. 廣瀬覚訳『1 冊でわかる　科学哲学』岩波書店、2008 年（本書の全体にわたる基本的参考書。2016 年に原著第 2 版が刊行されている）

Paley, W. (1802/2009) *Natural Theology, Or, Evidences of the Existence and Attributes of the Deity,: Collected from the Appearances of Nature*. Cambridge University Press

Peirce, C. S. (1903/1931) *The Collected Papers* Vol. V.: Pragmatism and Pragmaticism. 6. Three types of reasoning. §4. Instinct and Abduction. https://www.textlog.de/7658.html

Popper, K. (1959/2002) *The Logic of Scientific Discovery*. English edition. Routledge, London.（1934 年のドイツ語版原題は *Logik der Forschung*）大内義一・森博訳『科学的発見の論理』上下、恒星社厚生閣、1971-1972 年

Popper, K. R. (1970) Normal Science and Its Dangers. *In* Lakatos & Musgrave (1970) pp. 51-58

Pullen, S. (2005) *Intelligent Design or Evolution?* Intelligent Design Books, Raleigh, NC.（この本はきちんとした生化学の教育を受けた著者が、最初の 16 章までで、生化学、分子生物学、化学進化などの科学的知識を説明した上で、第 17 章で全部神のデザインで理解するという、どんでん返しを描いている。内容的にはかなり高度なことも書かれているので、なおさら不思議な本であり、不思議な著者である）

Richards, R. J. and Daston, L. (eds.) (2016) *Kuhn's 'Structure of Scientific Revolutions' at Fifty: Reflections on a Science Classic*. University of Chicago Press, Chicago. 2012 年に行われた 50 周年記念の講演会の論文集。

Russell, B. (1935/1956) *Religion and Science*. Oxford University Press. 津田元一

郎訳『宗教から科学へ』荒地出版社、1965年
Sainz-Polo, M. A., Ramirez-Escudero, M., Lafraya, A., González, B., Marin-Navarro, J., Polaina, J. and Sanz-Aparicio, J. (2013) Three-dimensional structure of *Saccharomyces* invertase: Role of a non-catalytic domain in oligomerization and substrate specificity. *J. Biol. Chem.* 288: 9755-9766
Sato, N. and Sato, K. (2019) Statistical analysis of word usage in biological publications since 1965: Historical delineation highlighting an emergence of function-oriented discourses in contemporary molecular and cellular biology. *J. Theor. Biol.* 462: 293-303
Singharoy et al. (2019) Atoms to phenotypes: Molecular design principles of cellular energy metabolism. *Cell* 179: 1098-1111. https://doi.org/10.1016/j.cell.2019.10.021（著者多数のため、省略）
Sumner, J. B. (1926) The isolation and crystallization of the enzyme urease. Preliminary paper. *J. Biol. Chem.* 69: 435-441
Tse, J. S. (2019) A twist in the tale of the structure of ice. *Nature* 569: 495-496
Watson, J. D. and Crick, F. (1953) Molecular structure of nucleic acids. *Nature* 171: 737-734
Weinreich, D. M., Watson, R. A. and Chao, L. (2005) Perspective: Sign epistasis and genetic constraint of evolutionary trajectories. *Evolution* 59: 1165-1174
Wilson, E. O. (1975) *Sociobiology*. Harvard University Press. 坂上昭一他訳『社会生物学』（全5巻）新思索社、1983-1985年（1999年に合本版が出ている）
Xiong et al. (2019) A small proton charge radius from an electron-proton scattering experiment. *Nature* 575: 147-151. https://doi.org/10.1038/s41586-019-1721-2（著者多数のため、省略）

和文文献

アインシュタイン（2015）『相対論の意味』矢野健太郎訳、岩波書店（岩波文庫 青 934-2）
池内了（2014）『科学・技術と現代社会』上下、みすず書房
伊勢田哲治（2003）『疑似科学と科学の哲学』名古屋大学出版会
岩波講座『現代思想』第 10 巻（1994）『科学論』岩波書店
岩波講座『哲学』第 9 巻（2008）『科学／技術の哲学』岩波書店
大塚淳（2007）「結局、機能とは何だったのか」『科学哲学』40：29-41
ガリレオ・ガリレイ（1959）『天文対話』上下、青木靖三訳、岩波書店（岩波文庫 青 302）
斎藤康毅（2016）『ゼロから作る Deep Learning：Python で学ぶディープラーニングの理論と実装』オライリー・ジャパン
斎藤慶典（2014）『生命と自由：現象学、生命科学、そして形而上学』東京大学出版会
佐藤直樹（2012a）『エントロピーから読み解く生物学：めぐりめぐむわきあがる生命』裳華房
佐藤直樹（2012b）『40 年後の「偶然と必然」：モノーが描いた生命・進化・人類の未来』東京大学出版会
佐藤直樹（2013）「生物学的説明の二元論：生物学的文脈の中の還元論、非還元論」『生物科学』65 (1)：54-63
佐藤直樹（2018a）『創発の生命学：生命が 1 ギガバイトから抜け出すための 30 章』青土社
佐藤直樹（2018b）「微細藻類における脂質顆粒葉緑体局在説をめぐって」『光合成研究』28 (1)：6（日本光合成学会のウェブサイトからダウンロード可能）
佐藤直樹（2018c）『細胞内共生説の謎：隠された歴史とポストゲノム時代における新展開』東京大学出版会
田中泉吏・佐藤直樹（2013）「生命現象は物理学や化学で説明し尽くされるか」『生物科学』65 (1)：2-9
東京大学教養学部図説生物学編集委員会編（2010）『図説生物学』東京大学出版会
東京大学生命科学教科書編集委員会（2017）『演習で学ぶ生命科学』（第 2 版）

羊土社
豊田利幸編（1973）『ガリレオ』（世界の名著 21）中央公論社（豊田による非常に詳しいガリレオの業績についての解説がある）
成定薫・佐野正博・塚原修一他（1989）『制度としての科学：科学の社会学』木鐸社
日本聖書協会訳（1955）『聖書［口語］』日本聖書協会
信原幸弘編（2017）『心の哲学：新時代の心の科学をめぐる哲学の問い』新曜社
野家啓一（2008）『パラダイムとは何か：クーンの科学史革命』講談社学術文庫
野矢茂樹（1997）『論理学』東京大学出版会
ブルック他（1974/2006）『創造と進化』（科学革命とキリスト教Ⅲ）鈴木善次・里深文彦訳、すぐ書房（この本は、もともとイギリス放送協会 BBC が放送大学における科学史のテキストとして作ったものであり、キリスト教と科学の関係を詳しく分析している）
マートン（1983）『科学社会学の歩み：エピソードで綴る回想録』成定薫訳、サイエンス社
森田邦久（2010）『理系人に役立つ科学哲学』化学同人
森元良太・田中泉吏（2016）『生物学の哲学入門』勁草書房（進化の科学哲学の入門書）
ペロー、シュワルツ著／佐藤直樹、ガリポン監訳／笹川昇、佐藤直樹、松田良一監修（2013）『パスツールと微生物：伝染病の解明と治療につくした科学者』丸善出版

佐藤直樹（さとう・なおき）

1953年岐阜県生まれ。東京大学名誉教授。生物学者。東京大学理学部卒業、同大学院理学系研究科博士課程修了。専門は光合成生物の脂質合成・ゲノム解析・進化と生物哲学。著書に『創発の生命学』（青土社）、『細胞内共生説の謎』（東京大学出版会）、『エントロピーから読み解く生物学』（裳華房）など、訳書に『生物科学の歴史』（ミシェル・モランジュ著、みすず書房）などがある。2019年度（第16回）日本植物学会賞特別賞を受賞。

科学哲学《かがくてつがく》へのいざない

2020年7月20日　第1刷印刷
2020年7月30日　第1刷発行

著　者　佐藤直樹《さとうなおき》

発行者　清水一人
発行所　青土社
〒101-0051　東京都千代田区神田神保町1-29　市瀬ビル
電話　03-3291-9831（編集部）　03-3294-7829（営業部）
振替　00190-7-192955

印　刷　双文社印刷
製　本　双文社印刷

装　幀　細野綾子

ISBN978-4-7917-7292-6　C0010